ZWISCHEN GANDHĀRA UND DEN SEIDENSTRASSEN

Felsbilder am Karakorum Highway

Stadt Köln Rautenstrauch-Joest-Museum
Museum für Völkerkunde

Universität Heidelberg — Veranstaltung
im Jubiläumsjahr 1986

Staatliches Museum für Völkerkunde, München

Kulturamt der Landeshauptstadt Stuttgart

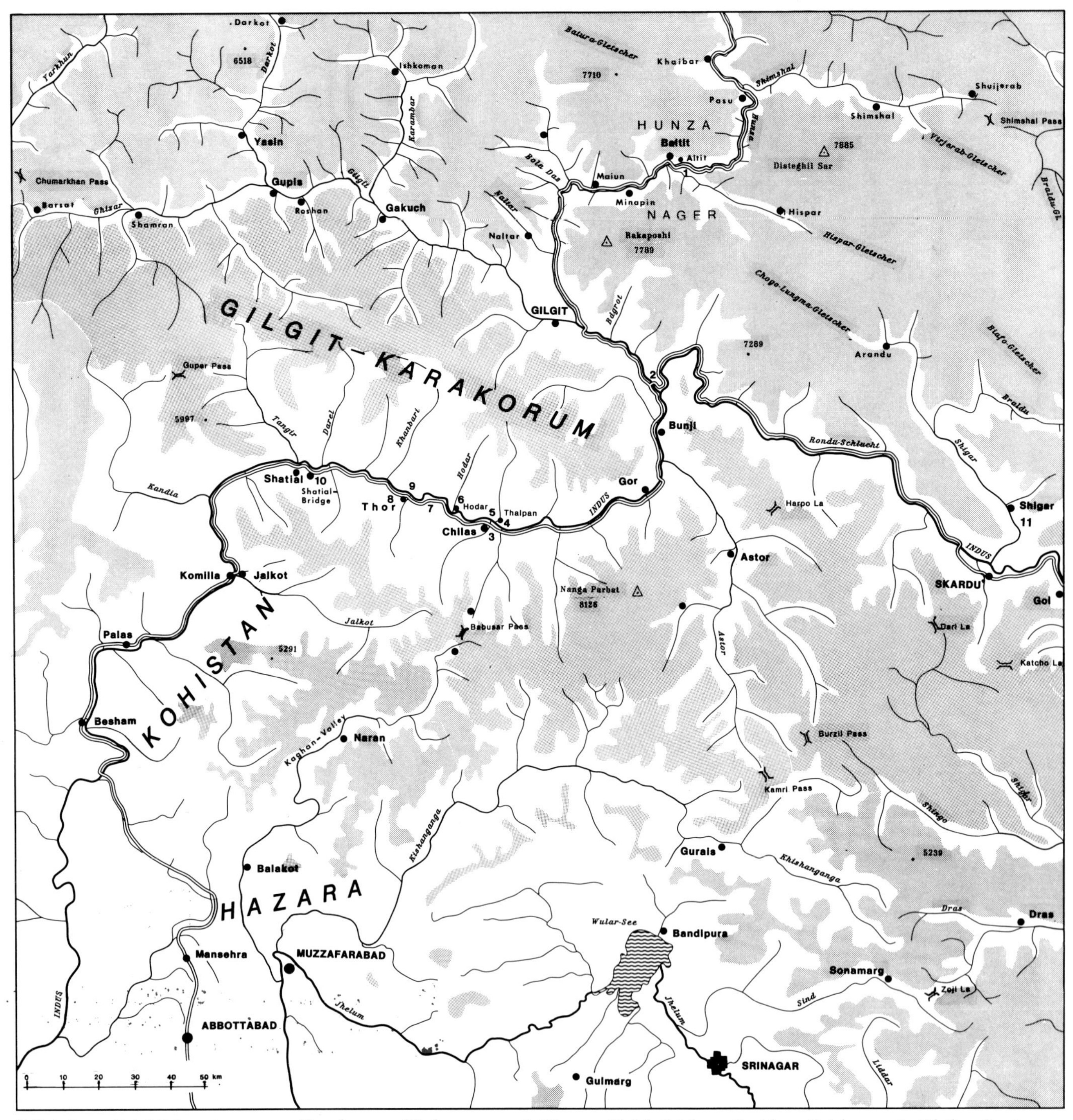

Wichtigste Felsbildstationen am Karakorum Highway: 1 Hunza-Haldeikish 2 Alam Bridge 3 Chilas-Stationen 4 Thalpan-Stationen 5 Ziyarat 6 Hodar 7 Oshibat 8 Thor, Minar-Gah 9 Thor-Nord 10 Shatial Bridge 11 Neuentdeckt in Baltistan: Kloster und Inschriften von Shigar

ZWISCHEN GANDHĀRA UND DEN SEIDENSTRASSEN

Felsbilder am Karakorum Highway

Entdeckungen deutsch-pakistanischer Expeditionen
1979–1984

VERLAG PHILIPP VON ZABERN · MAINZ AM RHEIN

Die Ausstellung »Zwischen Gandhāra und den Seidenstraßen — Felsbilder am Karakorum Highway« wird erstmalig gezeigt im Rautenstrauch-Joest-Museum, Museum für Völkerkunde, Köln, vom 29. 3. — 21. 7. 1985, später an den anderen Institutionen.

Präsentiert werden Farbbilder nach Diapositiven, die von Mitgliedern der Pak-German Study Group, K. Jettmar, V. Thewalt, J. Poncar, M. S. Qamar, im Verlauf systematischer Erfassung von Felsbildern und Inschriften in Nordpakistan angefertigt wurden.

Die Dias wurden von der Arbeitsstelle der Kommission der Heidelberger Akademie der Wissenschaften »Felsbilder und Inschriften am Karakorum Highway« zur Verfügung gestellt. Ihre Umsetzung in großformatige Farbbilder wurde von der Heidelberger Universitätsgesellschaft ermöglicht auf Grund eines Betrages, den die Fa. Heidelberger Zement AG anläßlich des Universitätsjubiläums 1986 gespendet hat. Einen Beitrag zu den Ausstellungskosten leistete das Rautenstrauch-Joest-Museum, Köln.

Der Druck des Katalogs wurde durch die Erlaubnis der Heidelberger Akademie der Wissenschaften ermöglicht, von einem Teil der für die wissenschaftliche Publikation (Materialienbände) hergestellten Farblithos Vorabdrucke anzufertigen.
Wir danken dem Verein zur Förderung der Heidelberger Akademie der Wissenschaften für einen Zuschuß zu den Druckkosten.

Planung und Durchführung des Katalogs:
Prof. Dr. Karl Jettmar und Dr. Volker Thewalt. Dr. V. Thewalt führte auch sämtliche Strichzeichnungen aus. Zusammen mit Dipl.-Ing. R. Kauper stellte er die Karten her.

Die Autoren, nach deren Werken Skizzen der Vergleichsobjekte angefertigt wurden, sind im Begleittext genannt.

Veranstalter der Ausstellung ist der deutsche Koordinator der Pak-German Study Group, Prof. Dr. Karl Jettmar, im Auftrag der genannten Forschungsstelle der Akademie.

Konzeption, wissenschaftliche Leitung und Ausführung:
Prof. Dr. K. Jettmar
Dr. V. Thewalt

Kartenentwürfe:
Dr. V. Thewalt und Dipl.-Ing. Robert Kauper

Vorderes Umschlagbild - Photo 53
Steinbock mit übertrieben großen Hörnern. Möglicherweise keine Darstellung eines realen Tieres, sondern eines Kultsymbols. Chilas IV. (Nachbuddhistische Periode).

Rückseite des Katalogs - Photo 52
Stark patinierte Zeichnungen des 1. Jh. n. Chr.: Elefant, Stūpa, Wildziegen; Kharoṣṭhī-Inschriften, teilweise überdeckt von meist helleren Zeichnungen der nachbuddhistischen Periode. In der linken oberen Ecke »Gottheit mit ausgebreiteten Armen« — hier mit Pferd, übergroßer Streitaxt und Bogen. Unten plumpere Wiederholungen des Themas. Menschenfiguren unbestimmter Zeitstellung.
Felsschirm der Station Chilas II.

60 Seiten mit 62 Zeichnungen und 3 Karten; 24 Farbtafeln.

ISBN 3-8053-0840-X
Satz: Typo-Service Mainz
Lithos: Witzemann & Schmidt, Wiesbaden
Printed in Germany / Imprimé en Allemagne
Gesamtherstellung: Verlag Philipp von Zabern, Mainz am Rhein.

INHALT

LITERATUR

DANI, Ahmad Hasan

1983 Chilas — The City of Nanga Parvat (Dyamar). Islamabad.

JETTMAR, Karl

1975 Die Religionen des Hindukusch. Mit Beiträgen von S. Jones und M. Klimburg. Die Religionen der Menschheit Bd. 4, 1. Hrsg. Ch. M. Schröder. Stuttgart.

1980 Felsbilder und Inschriften am Karakorum Highway. Central Asiatic Journal XXIV/3-4:185-221.

1980a Bolor and Dardistan. Islamabad.

1981 Neuentdeckte Felsbilder und -inschriften in den Nordgebieten Pakistans. Ein Vorbericht. Allgemeine und vergleichende Archäologie — Beiträge — Bd. 2:151-199.

1982 Petroglyphs and Early History of the Upper Indus Valley: The 1981 Expedition. Zentralasiatische Studien 16:293-308.

1982a Rockcarvings and Inscriptions in the Northern Areas of Pakistan. Islamabad.

1984 Tierstil am Indus. Kulturhistorische Probleme Südasiens und Zentralasiens: 25 (I 25):73-93. Halle (Saale).

THEWALT, VOLKER

1983 Jātaka-Darstellungen bei Chilas und Shatial am Indus. P. Snoy (Hrsg.): Ethnologie und Geschichte. Festschrift für Karl Jettmar. Beiträge zur Südasienforschung, 86:622-635, Taf. XXXVIII-XLII. Wiesbaden.

1984 Pferdedarstellungen in Felszeichnungen am oberen Indus. J. Ozols/V. Thewalt (Hrsg.): Aus dem Osten des Alexanderreiches: 204-218. Köln.

Einschließlich der populärwissenschaftlichen Berichte liegen 30 Veröffentlichungen zum Thema vor. Ab 1986 erscheinen die Bände der Materialpublikation.

Seidenstraßen und Seeverbindungen im Altertum

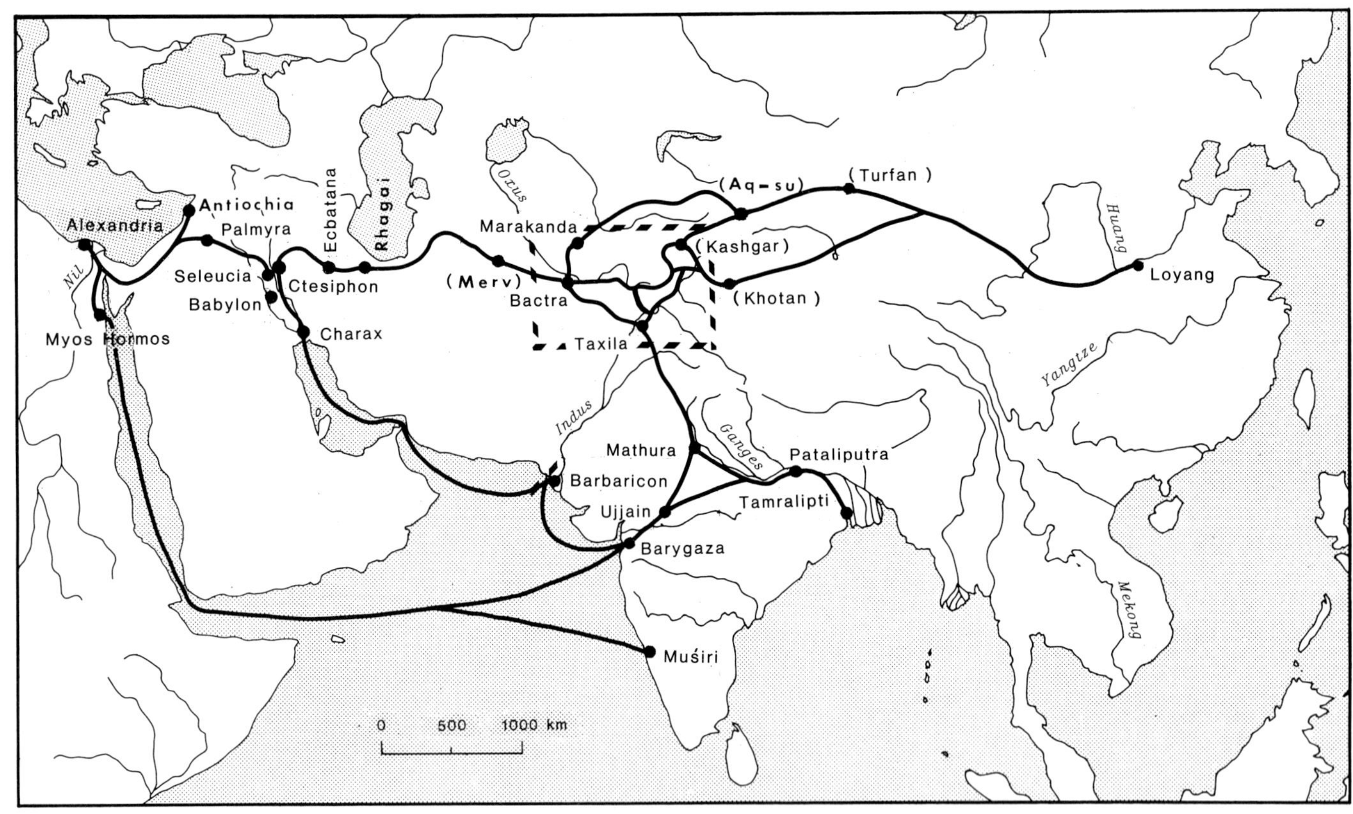

Seidenstraßen und ergänzende Seeverbindungen während der ersten Blüte des Ost-West-Handels um 100 n. Chr. Nach A. Herrmann und H. Ingholt. Die Bedeutung der Abkürzungsroute zwischen dem Tarimbecken und Südasien ist ersichtlich. Wichtig war auch die Verbindung, die von Marakanda (heute Samarkand), dem Zentrum Sogdiens, direkt nach Südosten führte. Wie Grabungen am Oxus, in Swat und jetzt die Felsbilder im Industal zeigen, haben seit der Bronzezeit Völkerwanderungen auf diesen Wegen stattgefunden. (Moderne Namen in Klammern)

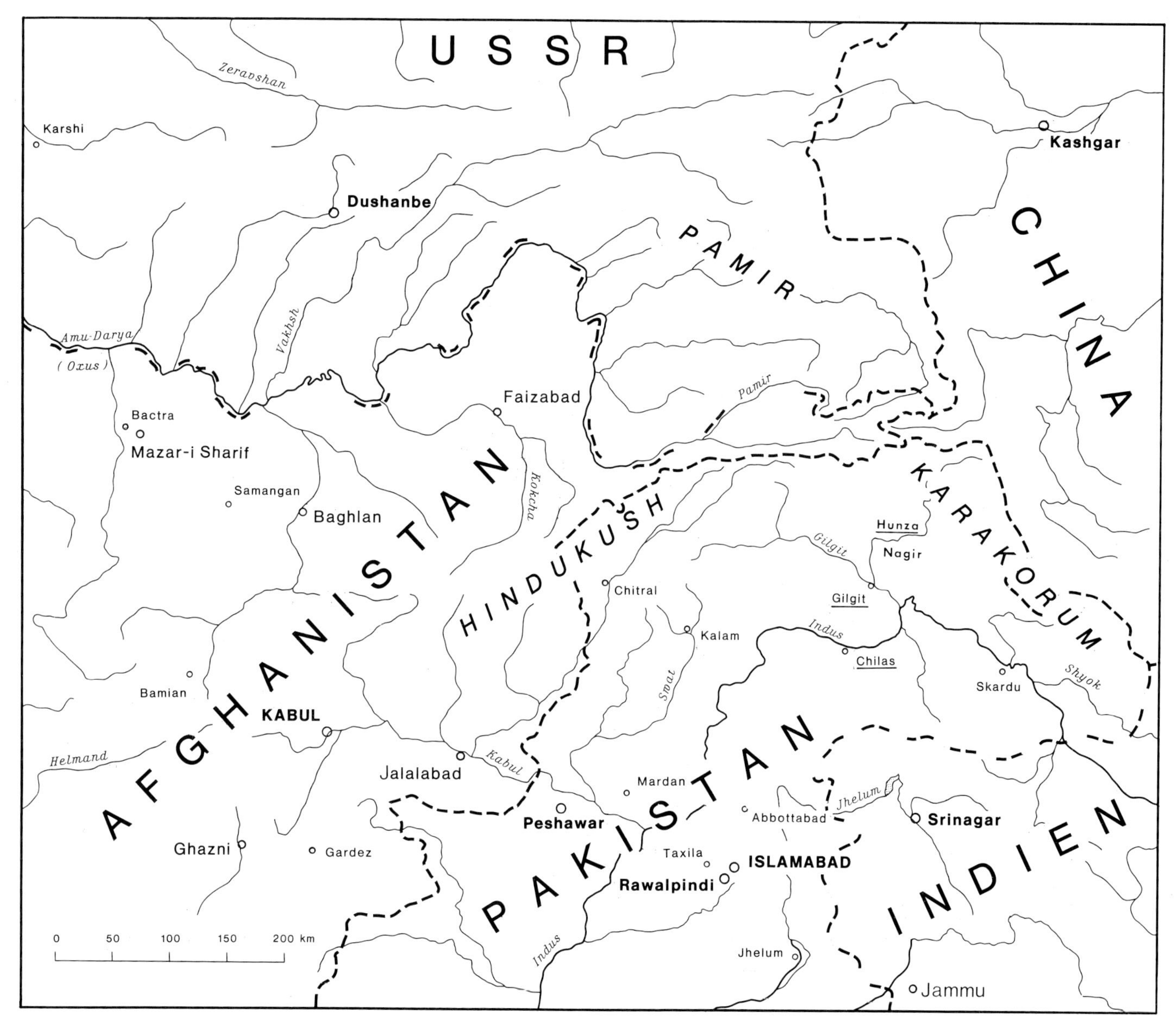

Die Karte der modernen politischen Grenzen (bzw. des Verlaufs der pakistanisch-indischen Waffenstillstandslinie) zeigt den in der Seidenstraßenkarte markierten Ausschnitt: Der Verkehrsknoten wurde seit dem Mongolensturm blockiert. Das britische Imperium wünschte keine Öffnung. Heute ist eine legale Überschreitung der Grenzen nur an wenigen Stellen möglich. Die Expeditionen nach dem zweiten Weltkrieg erlebten daher ihr Arbeitsgebiet in Nordpakistan und Ladakh (mit den Siedlungszentren Chitral, Gilgit, Hunza, Chilas und Leh) in einer früher nicht vorhandenen Isolierung. Jede Grenze ist von einer Zone umgeben, die für Ausländer gesperrt ist. Der Karakorum Highway war der erste Versuch einer Öffnung.

DANKSAGUNG

Das Vorspiel für die Entdeckungen des Jahres 1979 waren sieben Expeditionen, an denen ich als Ethnologe teilnahm. Fünf davon (1955, 1964, 1971, 1973, 1975) wurden durch Beihilfen der Deutschen Forschungsgemeinschaft ermöglicht. Nur die Expedition 1958 wurde von der Österreichischen Himalaya-Gesellschaft ausgeschickt. Sie galt der Besteigung des Haramosh; von den Mitgliedern des wissenschaftlichen Teams wurde allerdings eine solche Leistung nicht gefordert. Die American Philosophical Society förderte gleichzeitig die völkerkundliche Arbeit.

Ab 1978 finanzierte die Stiftung Volkswagenwerk Reisen in Nordpakistan und Ladakh, sowie deren Auswertung. Ein Akademie-Stipendium der Stiftung Volkswagenwerk verhalf mir zu einer zweijährigen Freistellung von den Amtspflichten. Das erlaubte ein Einarbeiten in immer weitere Bereiche der zentralasiatischen Kulturgeschichte.

Die Dokumentation der Felsbildfunde bedurfte eines mehrköpfigen Teams. Hier trat wiederum die Deutsche Forschungsgemeinschaft ein. Ihre Unterstützung gestattete es, Dr. Thewalt zu gewinnen, der mit echter Hingabe seine wissenschaftlichen Aufgaben übernahm. Dazu trat seit zwei Jahren Dipl.-Ing. Kauper als effektiver Kartograph. Mehrere Mitarbeiter standen uns jeweils während einer Kampagne zur Verfügung, darunter als Photograph Prof. Poncar.

1984 wurde das Langzeitprojekt der Obhut der Heidelberger Akademie der Wissenschaften anvertraut. Die Deutsche Forschungsgemeinschaft unterstützt uns weiterhin durch die Überlassung eines Fahrzeugs.

Den genannten Institutionen, ihren Entscheidungsträgern und Gutachtern sei an dieser Stelle uneingeschränkt Dank ausgesprochen — nicht nur für die effektive Hilfe, sondern auch für die Einsicht, daß hier eine einzigartige Sonde in die Vergangenheit Zentralasiens vorgetrieben wurde.

Die Universität Heidelberg und ihre Verwaltung, endlich aus permanenter Defensive erlöst, hat sich für uns eingesetzt.

Die enge Zusammenarbeit mit Gelehrten aus vielen europäischen Nationen wird in dem Kapitel Forschungsgeschichte dargestellt.

Der deutsche Einsatz wäre jedoch verpufft, wenn das Unternehmen nicht im Gastland so viele Freunde und aktive Mitarbeiter gefunden hätte. Die Unterstützung reicht vom Staatspräsidenten Pakistans und seinem Erziehungsminister Prof. Dr. Afzal, dessen Aufgeschlossenheit und waches Interesse man manchem seiner europäischen Kollegen wünschen würde, über sämtliche Stufen der Verwaltung, sowie unsere Fachkollegen — auf die wir im Forschungsbericht eingehen — bis zu den Angehörigen aller Schichten in den Berggebieten, die der Schauplatz unserer Arbeit sind.

Die in vielen Jahren erworbene Freundschaft mit den besten Repräsentanten der traditionellen Elite wie dem Fürsten Hussam-ul-Mulk, mit hochintelligenten einheimischen Verwaltungsbeamten wie Ismail Khan und Wazir Ali Shah, aber auch schlichten Bürgern wie Rahbar Hassan und Hashim Khan haben uns befähigt, mehr zu erfahren als jene Europäer, die einst hier befehlen konnten.

Wir danken der Botschaft Pakistans in Bonn und der Deutschen Botschaft in Islamabad. Beide Stellen haben mit Erfolg unser Anliegen deutlich gemacht: nämlich den Nachweis zu erbringen, daß die Kontinuität, die Sir Mortimer Wheeler in einem kühnen Buchtitel behauptet: »Five Thousand Years of Pakistan«, auch für die extremen Nordgebiete gilt. Dort hat sich seit den frühesten Einwanderungen ein kulturelles Kommunikationsfeld gebildet und in besonderer Ausprägung die Mittlerstellung erfüllt, die heute dem gesamten Staatswesen zukommt.

Karl Jettmar

EINFÜHRUNG

Das Entdeckungszeitalter der zentralasiatischen Sprach- und Kulturgeschichte begann im letzten Jahrzehnt des 19. Jahrhunderts. Miteinander konkurrierend konnten damals Expeditionen der kulturell und politisch dominierenden Mächte (England, Frankreich, Deutschland, Rußland, Japan und zuletzt Amerika) zu den Oasen des Tarimbeckens vordringen und von dort Manuskripte und Kunstwerke tonnenweise abtransportieren. Die letzte deutsche Unternehmung 1913/1914 brachte 430 große Kisten mit. Extreme Trockenheit und zunehmende Isolierung hatten Kulturdokumente über Jahrhunderte, ja Jahrtausende konserviert. Die Verlagerung des Welthandels auf die Meere hatte die Karawanenwege veröden lassen. Die Aufgabe dichtbevölkerter Siedlungen bei Richtungsänderungen oder Versiegen der Flüsse tat ein übriges.

Der erwachende Nationalismus Chinas setzte dem imperialistischen Wetteifern bald nach 1920 ein Ende. Fortan galten die »Bergungen« als Plünderungen ärgster Art. Dem wurde entgegengehalten, daß vieles, was im Lande verblieb, während der kriegerischen Wirren der folgenden Jahrzehnte zugrunde ging. Vor allem aber war das damals Entführte wohlgenutzt worden. Europäische Gelehrte entdeckten in Studien, die heute noch andauern, vergessene Sprachen und Literaturen. Es entrollte sich ein reiches Bild der Handels- und Religionsgeschichte, wobei sich übrigens herausstellte, daß der chinesische Anspruch auf schwachen Füßen stand. Die Schöpfer der reichen Kulturblüte stammten nur zum geringsten Teil aus dem Osten. Neben Indern und Iraniern erkannte man das Auftreten der »Tocharer«, eines Volkes, das in grauer Vorzeit aus dem fernen Europa eingewandert war.

Das kaiserliche Deutschland hatte sich mit bemerkenswertem Elan und Erfolg engagiert. Besonderes Interesse seiner Gelehrten galt den Verbindungen Chinas mit Europa und der Welt der klassischen Antike. Die »Seidenstraßen« erhielten ihren Namen von einem deutschen Geographen nach dem kostbarsten Exportgut, das das Abendland erreichte. Le Coq glaubte, auf Hellas' Spuren zu wandeln, Albert Herrmann sah »das Land der Seide und Tibet im Lichte der Antike«.

Aber schon Herrmann wurde klar, daß die wichtigsten Kultureinflüsse — selbst das Erbe des Alexanderreichs — das Tarimbecken aus jener Region im Nordwesten des südasiatischen Subkontinents erreichten, deren Zentrum man im Altertum »Gandhāra« nannte. Sie entspricht etwa dem heutigen Nordpakistan mit Ausschluß der Hochgebirgszone. Hier, nahe bei Peshawar, lag die Winterresidenz des von Nomaden errichteten Kuṣān-Reiches. Es dehnte sich im 2. Jh. n. Chr. bis ins Tarimbecken aus. Zwischen Niya und dem Lop-nor blieb (nach Rückschlägen im 3. Jh.) ein Staat zurück, Kroraina, dessen Herrscher sich mit Kuṣān-Titeln schmückten. Die Oberschicht sprach Gandhārī — eigentlich eine Dardsprache, mit dem heutigen Torwali im oberen Swat-Tal nahe verwandt. Als Schrift wurde Kharoṣṭhī verwendet, die die Kuṣān im Nordwesten bevorzugt hatten.

Auch andere Oasen, in denen entweder Tocharer oder Iranier lebten, standen unter dem Kultureinfluß des indo-pakistanischen Nordwestens und verwendeten Varianten einer anderen indischen Schrift.

Vor diesem Hintergrund muß die Ausbreitung des Buddhismus nach Ostasien gesehen werden. Andere Weltreligionen überflügelnd hat die Lehre des Erleuchteten China nachhaltiger verändert, als dies westliche Ideologen der Neuzeit vermochten.

Natürlich stellt sich die Frage, auf welchem Weg diese Einflüsse das Tarimbecken erreicht haben. Die wissenschaftlichen Erfolge, die sowjetische Archäologen nach dem zweiten Weltkrieg in den mittelasiatischen Republiken und anschließend in Afghanistan erzielten, ließen eine Zeitlang die Vermutung aufkommen, der Kulturstrom habe zunächst an den Oxus (Amu Darja) geführt. Von dort aus habe er den Weg durch den Wakhan nach Osten genommen.

Sir Aurel Stein, der Kenntnisreichste unter den Erforschern des Tarimbeckens, wußte sehr wohl, daß es noch eine andere, kürzere Route gegeben hatte, quer durch den Hindukusch und Karakorum. Da seine Anreisen in drei Expeditionen aus dem englischen Herrschaftsgebiet über Pfade führten, die die Natur vorgezeichnet hat, nahm er die Gelegenheit wahr, nach Spuren einstiger Vorgänger zu fahnden. Im wesentlichen aber mußte er sich auf den Vergleich seiner eigenen Erfahrungen mit den Reisebeschreibungen chinesischer Pilger beschränken; auch die Berichte chinesischer Heerführer über ihre Vorstöße in die Berge wertete er aus. Wirkliche Klarheit zu schaffen, erschien ihm als Aufgabe künftiger Generationen.

Heute ist dieser Raum an der Nahtstelle zwischen dem Nordwesten des Subkontinents und dem Tarimbecken durch einen gewaltigen Straßenbau dem internationalen Verkehr erschlossen worden. Der Karakorum Highway umgeht zunächst, dem Industal folgend, die westlichsten Ausläufer des Himalaya und den mächtigen Stock des Nanga Parbat. Er biegt dann ins Gilgit- und später ins Hunzatal ein, um schließlich am Khunjerab-Paß in fast 5000 m Höhe die chinesische Grenze zu erreichen. Das Unternehmen wurde im Verlauf von 20 Jahren unter bravourösem Einsatz von Menschen und Material durchgeführt. Zeitweise waren 15 000 pakistanische und 10 000 chinesische Arbeiter beim Bau der Straße beschäftigt. Im Industal mußte extreme Hitze, in der Paßregion bittere Kälte hingenommen werden. Man kann sagen, daß die 751 km lange Strecke zwischen dem Ausgangspunkt im Hazara-Distrikt und der Grenze fast ebenso viele Menschenleben forderte. Zur Vorbereitung mußte bisher unzugängliches Stammesgebiet erobert werden; ein Anschlußprojekt machte durch Brücken auch die Täler des gegenüberliegenden Ufers erreichbar.

Der Kampf mit der übermächtigen Natur erklärt, warum auf die archäologische Bestandsaufnahme verzichtet wurde, die in Europa normalerweise solche Großprojekte begleitet, obwohl sich mindestens an einer Stelle die Bulldozer durch ein prähistorisches Gräberfeld nagten und andernorts Felsen gesprengt wurden, die mit seltsamen Figuren und unverständlichen Schriftzeichen bedeckt waren.

Dieses Versäumnis konnte erst nach Abschluß der Bauarbeiten und nach dem Abzug der Chinesen, die sich ausländische Zuschauer verbeten hatten, einigermaßen ausgeglichen werden. Seit 1979 arbeiten am Karakorum Highway alljährlich deutsch-pakistanische Expeditionen.

Allerdings erhielten weder das deutsche Team noch dessen pakistanische Counterparts die Erlaubnis zu Grabungen, so daß man sich auf das Erfassen offen zutage liegender Denkmäler beschränken mußte.

Wie es dazu kam, wer diese Arbeit angeregt, durchgeführt und unterstützt hat, sei am Ende dargestellt. Hier genügt es zu sagen, daß der Erfolg selbst die kühnsten Erwartungen übertraf. Entlang dem Karakorum Highway wurden rund 1500 Inschriften und mehr als 10 000 Felszeichnungen entdeckt.

Bereits jetzt läßt das Material erkennen, daß der Kulturstrom, der vom heutigen Pakistan ausgehend das Tarimbecken erreichte, tatsächlich auch die gefährlichen, aber kurzen Routen quer durch die Hochgebirge nutzte. So wurde der Buddhismus in deren Tälern zur herrschenden Religion. Diesen Vorgang spiegeln in erster Linie die Inschriften, die fast ausnahmslos der Zeit zwischen dem 1. und dem 8. Jh. n. Chr. angehören. Sie berichten uns aber auch über die lokalen Machthaber, in deren Verwaltung viele Fremde, oft Iranier, tätig waren. So entstand eine Infrastruktur, die von Gesandtschaften, von Händlern und Auftrag suchenden Künstlern, von Pilgern wie von Flüchtlingen in Anspruch genommen wurde. An einem einzigen Felsblock haben sich 125 Reisende meist unter Namensnennung verewigt. Oft sind Zeichnung und Inschrift so eng verbunden, daß man Herkunft und Zeitstellung der Stilgruppen entnehmen kann.

So ist das Problem der Reiserouten durch die Hochgebirgsregionen, das Stein künftigen Generationen überließ, weitgehend gelöst. Dafür aber ergeben sich neue Probleme: Manche Zeichnungen sind ganz sicher älter als die buddhistische Periode, das ergeben schon Überschneidungen. Die Datierung dieser älteren Zeichnungen muß allerdings mit Kulturvergleichen arbeiten. Sie legen die Vermutung nahe, daß die Verkehrsadern schon vor mehreren Jahrtausenden entstanden, lange bevor der Buddhismus eindrang. Andererseits gibt es Zeichnungen, die nachbuddhistischen Phasen angehören. Sie verraten uns die Reaktion der Einheimischen auf die Weltreligion und den Sieg, den sie schließlich über einen Glauben er-

rangen, der an Krieger, Hirten und Jäger schier unerfüllbare Forderungen stellte.
Voraussetzung für das Entstehen der Felsbilder war die extreme Trockenheit in der Talregion hinter der ersten, vom Nanga Parbat nach Westen ziehenden Gebirgskette. Die Wolken, die vom Süden herangetrieben dieses Hindernis überwinden, entladen ihre Feuchtigkeit ausschließlich in der Höhenregion, tragen dort zum Anwachsen der Gletscher bei. Im tief eingeschnittenen Industal sind Hitze und Trockenheit extrem. Die früher von Wasser und Geschiebe glattgeschliffenen Felsen überzogen sich im Laufe der Jahrtausende mit »Wüstenlack«, einer Patinierung in braunen und bläulichen Farbtönen. Schon die Künstler der Vorzeit entdeckten die Möglichkeit, durch ein geringfügiges Abtragen der Oberfläche, etwa Hämmern mit einem spitzen Stein, weithin sichtbare Bilder zu schaffen. Die erneute Patinierung der so entstandenen Linien und Flächen braucht wiederum Jahrtausende. Später wurden Metallinstrumente verwendet. Inschriften ergänzten oder verdrängten die Bilder, aber man setzte die Ausschmückung der Felsheiligtümer fort, bis schließlich der Islam die Tradition so sehr beeinträchtigte, daß man die Meisterwerke der Vergangenheit in ehrfürchtiger Scheu als von Feen geschaffen erklärte (und deshalb schonte — was heute leider nicht mehr der Fall ist). Nur Tierzeichnungen wurden weiterhin an bestimmten Stellen angefertigt — im Rahmen einer Jagdmagie, die sich geistlicher Kontrolle entzog.
Schon frühzeitig waren Nachbargebiete angeregt worden, wo die natürlichen Voraussetzungen wesentlich ungünstiger lagen. Im Sommer 1984 bekam man z. B. erstmalig eine Vorstellung von Umfang und Bedeutung der Felsbildkunst im benachbarten Baltistan.
Die Entdeckungen der deutsch-pakistanischen Expeditionen können im Bildmaterial der Ausstellung und erst recht mit den Farbtafeln des Katalogs nur angedeutet werden. Daß dafür nur Farblithos verwendet werden konnten, die schon für die Ausstattung bereits in Planung befindlicher Bände vorlagen, macht die Auswahl einseitig — kommt aber der Preisgestaltung ungemein zugute. Die Bibliographie umfaßt unsere Zwischenberichte nebst einführender Literatur zur Geschichte der zentralasiatischen Handelsverbindungen. Besonders sei auf das kühne und bewußt impressionistische Werk unseres Counterparts Prof. Dr. A. H. Dani hingewiesen; leider entspricht der Druck nicht immer den Ambitionen.
Die Anordnung der Bilder folgt einem chronologischen Schema, das der Verfasser bereits 1980 entwarf. Es mußte inzwischen nur unwesentlich korrigiert werden — was noch nicht seine Richtigkeit beweist. Ein höchst interessanter Störfaktor ergibt sich aus der Tatsache, daß Felsgravierungen im Gegensatz zu Schöpfungen in vergänglichem Material noch nach Jahrhunderten präsent bleiben. So werden Zuwanderer, die in völlig anderen Traditionen figuraler Darstellung aufgewachsen sind, zu interpretierender Wiedergabe angeregt — oft auf dem gleichen Felsen. Stilbrüche und Unterschiede in der Patinierung kennzeichnen die Nachahmung, verraten aber nicht unbedingt den Hersteller.

Skurrile Felszeichnung von Thor-Nord. Die Umrisse erinnern an eine Sphinx, aber das Hinterbein endet in einer Hand. Der kahle Kopf hatte vier Ohren.

DIE FELSBILDER: ZEITLICHE ORDNUNG UND DEUTUNG

Typisch für subnaturalistisches Felsbild von Shatial Bridge ist der kleine Kopf.

Das gilt aber auch für die frühesten Tierbilder im Minussinskgebiet. Nach Šer.

Bitriangulär stilisierte Bemalung bronzezeitlicher Keramik Irans. Nach Ghirshman.

Felszeichnungen von Masken nach Art der Okunev-Kultur im Industal bei Chilas.

Zum Vergleich: »authentische« Maskenbilder aus Mugur Sargol (am Jenissei), zum Okunev-Komplex gerechnet. Nach Dėvlet.

Vorbuddhistische Kunst

Die älteren Perioden (5.-2. Jahrtausend v. Chr.)

Unter den Felsbildern im Industal, die sich durch einen hohen Grad nachträglicher Patinierung auszeichnen, nicht mit Metallwerkzeugen hergestellt wurden und niemals mit Inschriften kombiniert vorkommen, treten gelegentlich Tierbilder auf, deren Stil Anati in Europa oder Vorderasien »subnaturalistisch« nennen würde, was eine Datierung ins Epipaläolithikum impliziert. Zum prähistorischen Bestand gehören Jagdszenen, bei denen das Beutetier größer dargestellt ist als die Jäger, sowie Zeichnungen, die Hand- oder Fußabdrücke wiedergeben. Häufig sind Tierkörper in der Mitte so ›tailliert‹, daß sie im Extremfall zwei an einer Spitze verschmolzene Dreiecke bilden. Dies läßt sich als Einfluß des »bitriangulären Prinzips« erklären, das man im Nahen Osten, aber auch in Mittelasien häufig trifft, wenn in der Gefäßbemalung Tierkörper wiedergegeben werden.

Photo 1
Tafel 1
Photo 2

Einen überraschenden Hinweis liefern maskenartige Zeichnungen, bei denen die Gesichtsfläche durch Diagonale in Quadranten zerlegt wird. Oberer und unterer Quadrant sind häufig durch flächendeckendes Hämmern ausgefüllt. Punkte seitlich vom Zentrum geben die Augen wieder. Über dem Scheitel laufen Linien nach oben wie Strahlen, dann wieder sind Schopf und Hörner erkennbar. Menschenfiguren mit gespreizten Beinen und ausgebreiteten Armen (offenbar eine lokale Art, Götter oder Dämonen darzustellen) tragen manchmal ein solches »Maskoid« als Kopf.

Photo 3
Tafel 2
Photo 4
Tafel 3

Das »Maskoid« aber ist ein charakteristisches Motiv in der Okunev-Kultur Südsibiriens. Sie beginnt im 3. Jahrtausend v. Chr., wurde von wandernden Rinderzüchtern getragen und hat im Verlauf mehrerer Jahrhunderte eine deutliche Expansion und vielerlei Veränderungen erfahren. Da auch andere Elemente ihres Symbolguts auf den Felsen im Industal auftauchen, wird ein Vorstoß nach Süden wahrscheinlich. Daß Rinderzüchter so tief in die Berge vorgedrungen sein sollen, erscheint zunächst unglaubhaft, aber tatsächlich kann man auf den Felsen der gleichen Station Rinder abgebildet sehen, übrigens auch Buckelrinder.

Gegenüber von Thor im Industal ist ein zweirädriger Wagen mit Speichenrädern zu erkennen, daneben sieht man Tiere, die einen runden Gegenstand hinter sich herziehen. Hier ist offenbar ein Motiv mißverstanden worden, das man aus Sajmaly Tash in der Ferghana-Kette kennt: Dort sind neben den häufigen Kult- bzw. Streitwagen auch Karren mit Scheibenrädern dargestellt. Sajmaly Tash liegt über 3000 m hoch und ist nur auf schwierigen Fußpfaden erreichbar! Aber gegen Ende des 2. Jahrtausends v. Chr. war in ganz Zentralasien der Wagen ein Kult- und Prestigeobjekt; in dieser Eigenschaft ist er in die Vorstellungswelt der Bergbewohner eingedrungen.

Westiranische und sakische Motive (1. Jahrtausend v. Chr.)

An der Frontseite eines Felsens, der sich oberhalb der Brücke von Thalpan über einer Sandfläche erhebt und an einen Altaraufbau erinnert (daher »Altarfelsen«), ist in Seitenansicht ein Vierfüßler, vermutlich ein Rind, dargestellt. Dazu paßt das Horn, nicht aber der mit großen Zacken ausgestattete Mähnenkamm. Eines der Vorderbeine ist abgeknickt — diese Eigentümlichkeit ist in der Kunst Vorderasiens als »Knielauf« wohlbekannt. Aus dem gleichen Kontext läßt sich der durch Aussparungen gebildete Körperdekor erklären. An demselben Felsen sind drei etwa gleichgroße Männergestalten zu sehen. Eine Figur scheint zu tanzen, die zweite gibt einen Krieger wieder, der mit gesenkter Lanze voranschreitet. Ein weiterer Krieger hält eine Ziege am Hinterbein hoch, in der anderen Hand schwingt er ein großes Messer. Die beiden zuletzt genannten Gestalten tragen einen breiten Gürtel und einen Fransenrock, die Brust ist dem Beschauer zugewendet, Beine und Kopf sind von der Seite gesehen. Pose und Tracht lassen sich am ehesten erklären, wenn die Hersteller, die nicht nur das oben beschriebene Fabeltier

Photo 5
Tafel 4

Photo 6
Tafel 3

Bronzezeitliche Darstellung eines Buckelrinds bei Chilas V.

Spätbronzezeitliches Wagenbild, dahinter Bogenschütze, vielleicht »hyperboräischer Apollon«, aus Thor-Nord.

Zum Vergleich: Rennwagen, vierspännig, mit Lenker. Felsbild aus der Mongolei. Bronzezeit. Nach Novgorodova.

Altarfelsen
Photo 5, Tafel 4

Am Indus und im Westiran, auch Armenien, gibt es Tiere in sehr ähnlichen Posen. Zum Vergleich: Bild auf einem Gefäß, angeblich aus Ziwiye, ca. 8. Jh. v. Chr. Nach Porada.

Zum Vergleich: Bewaffneter auf einer Goldschale aus Hasanlu (Westiran), 9. Jh. v. Chr. Nach Porada.

Zum Vergleich: Goldene Hirschfigur aus dem Hazara-Distrikt. Museum Peshawar.

Photo 7: Kern der Tierstilszene in Thalpan Bridge.

Die Elchdarstellung aus Hügelgrab Pazyryk II im Altai zeigt Herkunft der Formen, die bis an den Indus gebracht werden. 4. Jh. v. Chr. Nach Rudenko.

Felszeichnung aus dem Minussinskgebiet mit Spiralhaken als Körperdekoration. 5.-4. Jh. v. Chr. Nach Šer.

Künstler nomadischer Herkunft deuten oft die Art des abgebildeten Tieres durch wenige zusätzliche Merkmale (Gehörn, Schwanz) an. Unten: vielleicht sog. Rolltier. Chilas I.

in die Felswand gehämmert haben, aus dem Westen des iranischen Plateaus kamen und spätestens in frühachämenidischer Zeit nach Osten abwanderten. Möglicherweise setzte das Perserreich, als es seine Grenzen bis an den Indus vorschob, Krieger aus seinen Westprovinzen ein. Ein verwandtes Stück aus Nordpakistan, eine Hirschplastik aus Gold, wurde ins 8. oder 7. Jh. v. Chr. datiert, so daß man sogar an eine noch vorachämenidische Wanderwelle denken könnte. Diese Darstellungen müssen großen Eindruck gemacht haben, denn es gibt auf demselben Felsen Knielaufbilder, die sicher später eingemeißelt wurden.

Nun zeigt der »Altarfelsen« aber auch die schwungvolle Zeichnung eines Hirsches. Ihn verfolgt eine in ebenso eleganten Kurven ausgeführte Raubkatze mit kleinem Kopf und zwei in Spiralhaken endenden Schwänzen. Auch die Innenfläche der Körper ist mit Voluten geschmückt. Später wurde das Bild durch Hinzufügen von zwei Schlangen erweitert, die den Hirsch von vorn angreifen. Der Grundbestand zeigt jedoch eindeutig Merkmale des eurasiatischen Tierstils: Es handelt sich um die Kunst der iranischen Reiterkrieger, die sich im Laufe des 1. Jahrtausends v. Chr. fast über den gesamten Steppengürtel ausbreiteten, vom Schwarzmeergebiet bis an den Hoangho. Die Bewohner der griechischen Kolonialstädte nannten sie Skythen, in Asien wurden sie Saken genannt, wir kennen aber auch die Namen regionaler Stammesverbände. Der Kopf des Hirsches, durch eine abwärts gekrümmte Schnauzenpartie an einen Elch gemahnend, paßt genau ins Repertoire der Nomadenkunst. Die fremde Herkunft des Motivs ist evident, am oberen Indus gibt es keine Hirsche, geschweige Elche. So finden wir in einer sehr schönen Felszeichnung am anderen Ufer des Indus die gleiche Szene in anderer, »einheimischer Besetzung« wieder: einem realistisch dargestellten Steinbock folgt ein Schneeleopard, deutlich erkennbar an dem langen Schwanz. Immer noch sind Dekorelemente des Tierstils vorhanden.

Photo 7

Photo 8
Tafel 6

Als Erklärung scheint sich die Nachricht der chinesischen Quellen anzubieten, unter dem Druck übermächtiger Feinde seien Verbände der »Sai«, d. h. Saken, nach Süden gezogen, um schließlich im indopakistanischen Großraum Fürstentümer zu gründen. Diese Wanderung erfolgte jedoch nicht vor dem 2. Jh. v. Chr., die hier be-

obachteten Zeichnungen waren offenbar dazu bestimmt, die immer noch als heilig respektierten Werke der Westiranier zu ergänzen.
Inzwischen hat man weitere Tierstilzeichnungen beobachtet. In charakteristischer Weise verbinden sie Abstraktion mit realistischen Details. Manche davon weisen Stilmerkmale des 6. und 5. Jh. v. Chr. auf. Andere Bilder sind dem Tierstil nur nachempfunden. Vielleicht war er zur Standeskunst traditionsbewußter Sippen geworden, die noch lange an ihren »Wappentieren« festhielten. So sehen wir an einer sehr späten, durch Körperumriß und Geschlechtsorgan eindeutig gegen die ungeschriebenen Regeln des Tierstils verstoßenden Felszeichnung noch immer den typischen Schmuck der Innenfläche — auch dieses Tier trägt ein Hirschgeweih! Photo 9
Eine Bronzeplakette, die im abgelegenen Kandiatal erworben und dem pakistanischen Nationalmuseum übergeben wurde, läßt eines der Herkunftsgebiete nördlicher Nomaden deutlich erkennen. Dargestellt ist ein Steinbock, an dessen Gehörn ein Vogelkopf angesetzt ist. Dessen Stirnschopf verrät, daß es sich um den Glanzfasan handelt, der noch heute im lokalen Volksglauben eine große Rolle spielt. Abgesehen davon finden sich alle Details an Grabbeigaben im Ostpamir wieder. Von dort aus drangen sakische Stämme über Ishkoman (wo ein ähnlicher Fund gemacht wurde) und das obere Gilgittal einerseits nach Kandia, andererseits bis an den Indus vor. Die meisten von ihnen zogen dann nach Süden weiter.

Photo 10
Tafel 7

Minar-Gah:
oben: jüngere Zeichnung
unten: Tierstil-Bild »wie auf Zehenspitzen stehend«.
Pose im 7.-5. Jh. v. Chr. belegt.

Zum Vergleich:
Zeichnung im frühen Tierstil aus Mugur Sargol (am Jenissei), 6. Jh. v. Chr. Nach Dėvlet.

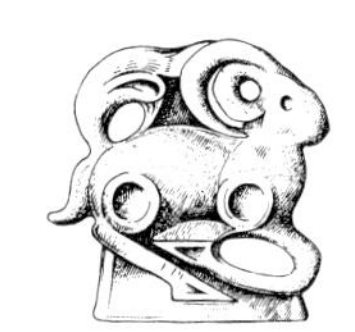

Funde mit sehr ähnlichen Formelementen aus dem Pamir:
Dolchknauf, ca. 3. Jh. v. Chr.

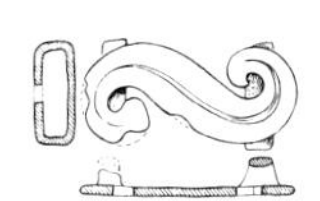

Zwinge aus Pamirskaja I. Beide nach Litvinskij.

Frühbuddhistische Periode im Industal (1.-2. Jh. n. Chr.)

Stationen im Gilgittal (Alam Bridge) und bei Hunza (Haldeikish) weisen Inschriften auf, die sich über den gesamten Zeitraum verteilen, in dem das Reich der Kuṣān bestand, ja sie gehen darüber hinaus. Dazu gehört eine geringe Anzahl von Zeichnungen.
Im Industal bei Chilas hingegen gibt es nur eine einzige vergleichbare Ballung von Inschriften (in der bisherigen Literatur Chilas II genannt). Sie ist in einer eng umgrenzten Periode entstanden, bevor sich die Macht der

Kuṣān massiv bis in die Berge hinein durchsetzte. Um so wichtiger ist die Ergänzung durch künstlerisch hochwertige und historisch bedeutsame Zeichnungen, deren genauere Interpretation eine Aufgabe der Zukunft darstellt.

Der als Unterwerfungsszene gedeutete Fries zeigt vielleicht eine Gottheit (wie in Pazyryk V) auf dem Thron, der eine Schale dargeboten wird. Gabenbringer und Tänzer(?). Chilas II.

Nur dreieinhalb Kilometer unterhalb der Mündung des Buto-Gah, das Wildbachs, über dem Chilas auf einer steilen Terrasse liegt, sind Felsabstürze zu einem grandiosen Heiligtum ausgestaltet worden. Im Hochsommer wird das ganze Vorland von dem um mehrere Meter anschwellenden Indus überspült. An einer Stelle kann man zwischen Felsbastionen absteigen. Man sieht dann zur Linken einen großen steinernen Schild, der durch natürliche Risse in mehrere Friese gegliedert ist. Sie präsentieren jeweils figurenreiche Szenen, von Dani als Unterwerfung einheimischer Edler vor dem Eroberer gedeutet. Klarheit wird vielleicht die Lesung der kurzen Inschriften bringen.

Photo 11
Tafel 8

Neben ältesten Stūpa-Formen kommen etwas jüngere vor, Datierung 1. Jh. n. Chr. Bekrönung der Säulen ungewöhnlich. Chilas II.

An diesem Felsschild vorbei gelangt man zu einer ebenfalls reich ausgeschmückten Nische, in der man sich zu einer Plattform hochstemmen kann. Sie wird von einem mächtigen Felsschirm überwölbt. Die untere Hälfte ist mit eingehämmerten Bildern bedeckt. Man erkennt Stūpas altertümlicher Form, z. T. von Kultsäulen umrahmt, Menschen und Tiere, darunter Elefanten. Eine ähnliche figurale Ausschmückung findet sich aber auch in den tiefen Höhlungen, die einst der Fluß aus der anschließenden Felswand herausgeschliffen hat. Sie sind in mehreren Etagen angeordnet, manche liegen auch unterhalb der Plattform und ihres Zugangs. An einigen Stellen gibt es längere Inschriften, die Kharoṣṭhī weist noch Eigentümlichkeiten auf, die unter den sakischen Vorläufern der Kuṣān üblich waren. Erste Lesungen liegen vor. Die Namen der Gottheiten Kṛṣṇa und Balarāma sind verläßlich belegt. Ob hingegen wirklich, wie von einem Bearbeiter behauptet, mehrere bekannte Königsnamen erscheinen, muß vorläufig offen bleiben. Daß sich soviel Prominenz am Indus eingefunden haben soll, stimmt bedenklich. Auffallend häufig werden vor einem Stūpa Bewaffnete dargestellt, auch berittene Krieger. Manche sind abgesessen, um sich in Ehrfurcht einem buddhistischen Heiligtum zu nahen. Erstaunlich früh wird hier Buddha als Person und nicht nur symbolisch wiedergegeben. Tierbilder zeigen gelegentlich Körperdekor durch Aussparungen — wie unter den Achämeniden. An zwei Stel-

Photo 12

Identifikation auch durch hochgehaltenen Pflug; zweiter Gott mit Sonnenscheibe(?). Weiter, offener Mantel der Kuṣān-Tracht, ebenso typisch die Keulen. Chilas II.

Photo 13

Photo 14
Tafel 9

Photo 15
Tafel 10

Die Zeichnung am Körper des Pferdes entspricht achämenidischer Tradition. Chilas II.

len wird die Verehrung des Stūpas durch einen Mönch (?) in barbarischer Tracht dargestellt. Eine weitere Person trägt einen Krug, dazu, in einem Fall, ein Fähnchen. Das schematische Bild eines umhegten Baumes hat eine lange Vorgeschichte (wir kennen es von den sog. Stammesmünzen) — das mag auch von anderen Symbolen gelten. Wie lassen sich nun das plötzliche Auftreten von Buddhismus, die Vertrautheit der Hersteller mit den Kultbauten und Symbolen der Ebene, aber auch die vielen Hinweise auf den kriegerischen Charakter der frommen Gemeinde erklären?

Photo 16
Tafel 11

Weitere, nicht als Photo gezeigte Verehrungsszene mit zusätzlichem Baumsymbol und Votivstūpa. Chilas II.

Wir wissen heute von Kleinstaaten im Gebirgsvorland, die von sakischen Dynastien gegründet wurden. Ihre Fürsten haben sich mit Sanskrit-Namen und -Titeln geschmückt und später willig als Feudalherren in den Verband des Kuṣān-Reiches eingefügt. Vielleicht hat einer von ihnen eine Truppe am Indus stationiert, die zuvor in den Ebenen gedient hatte und dort zum Buddhismus bekehrt worden war. (In ähnlicher Weise haben sich Christentum und Mithras-Kult ausgedehnt.) In Frage käme der Staat Uda (chinesisch: Wu-ch'a), zu dem das Kaghan-Tal gehörte. Für ihn hatte eine an den Indus vorgeschobene Garnison strategische Vorteile. Außerdem konnte er so die Goldwäscher besteuern, die sicher schon damals am Indus arbeiteten. In der Vorstellungswelt der Krieger verband sich der Buddhismus mit Elementen des Volksglaubens von Gandhāra, aber auch mit der einheimischen Stammesreligion. So stellten sie sich den Stūpa in Erinnerung an ältere dynastische Heiligtümer mit einer zugänglich bleibenden Zentralkammer vor. In manchen Fällen weiß man jedenfalls nicht, ob die deutlich sichtbare Pforte nur zu dem Umgang führt — das entspräche dem buddhistischen Ritual der Umwandlung — oder doch ins Innere des Bauwerks. Eine Stūpazeichnung ist offenbar anthropomorph umgestaltet worden, ebenso die zugehörige Säule; dazu kommt dann auch noch eine Sonnenscheibe, die wiederum zu einem höchst unorthodoxen Stūpa ergänzt wurde. Daneben steht im Kontext das Wort »Hāritī« — es muß aber nicht die kinderfressende Dämonin, später wohltätige Göttin, gemeint sein: auch ein Eigenname kommt in Frage.

Photo 17
Tafel 12

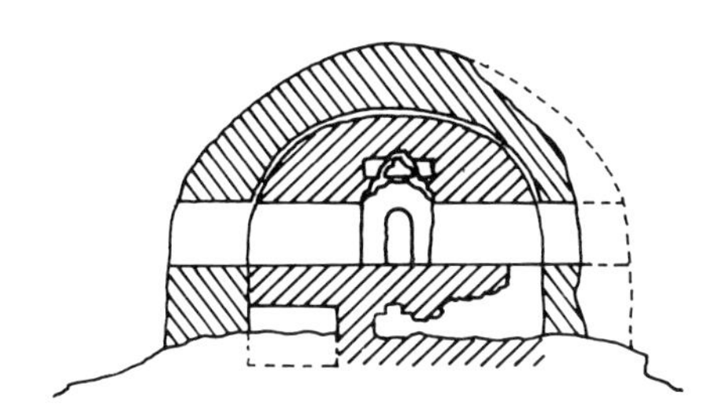

Zum Vergleich: Nordafghanistan, Jarty Gumbaz — stūpaartiger Bau, aber schon im ersten Bauabschnitt mit seitlichem Eingang zur Kammer. Kuṣān-Zeit. Nach Pugačenkova.

Nachträgliche Ausschmückungen des Heiligtums sind meist leicht zu erkennen, nur einzelne Zeichnungen lassen sich nicht klar vom Grundbestand unterscheiden.

Blütezeit des Buddhismus

Heiligtümer und Handelsstützpunkte (bis zum 8. Jh. n. Chr.)

In den bereits genannten Stationen im Gilgittal und in Hunza läßt sich kein Hiatus zwischen Kharoṣṭhī- und Brāhmī-Inschriften feststellen. Es handelt sich um eine allmähliche Ablösung, dann um eine Verdichtung der Brāhmī-Inschriften im 5. Jh. n. Chr. Im Industal gibt es einerseits den massiven Block in früher Kharoṣṭhī, andererseits ein sehr reiches Brāhmī-Material aus dem 5. bis 8. Jh. n. Chr. Die sogdischen Inschriften — von denen noch zu berichten ist — könnten früher einsetzen. Der Raum, in dem sie vorkommen, liegt aber peripher (Shatial Bridge). Im Zentrum Chilas gibt es hingegen bisher keinen klaren Übergang. Was das zu bedeuten hat, muß sich erst herausstellen. Die Tradition, Felsbilder anzufertigen, dürfte kaum eine Unterbrechung erfahren haben. Entweder ist ein ›illiterater‹ Komplex einzuschieben, den wir nicht erfassen können, oder aber die paläographische Einordnung bedarf einer Korrektur.

Jedenfalls treffen wir seit dem 5. Jh. Inschriften und Zeichnungen in großer Zahl an, oft gehören sie nachweisbar zusammen. Chilas selbst könnte ein politisches Zentrum, der Sitz eines Gaufürsten, gewesen sein. Auf Felsen am Indus nennen Inschriften Personen vornehmer Herkunft als Auftraggeber sorgfältig hergestellter Felsbilder. Manche davon hat schon Aurel Stein gesehen (Chilas I).

Wichtiger aber noch muß ein buddhistisches Heiligtum am gegenüberliegenden, d. h. nördlichen Ufer des Indus gewesen sein. Der Sakralbezirk lag bei einer Fährstelle westlich vom Dorf Thalpan, nahe der Mündung des Kiner-Gah. Was hier beobachtet wurde, muß man vor dem Hintergrund einer Tradition sehen, die schon lange vor dem Eindringen des Buddhismus begann. Ein großer Teil der bereits erwähnten »prähistorischen« Zeichnungen wurde nämlich auf der westlich anschließenden, unwirtlichen Hochterrasse gefunden. Sie schmückten den Umkreis eines Heiligtums, das dann im Verlauf des 1. Jahrtausend v. Chr. auf die tiefer gelegene Sandfläche zum Altarfelsen verlegt wurde. Schließlich wurde das Zentrum noch ein Stück weiter nach Osten verschoben. Es sind nur minimale Reste von Bauten (Stūpas?) beob-

Variation der achämenidischen oder vorachämenidischen Tierbilder. Sicher wesentlich später, vielleicht in der »illiteraten« Zeit am Indus entstanden. 2.-4. Jh. n. Chr. Thalpan Bridge.

achtet worden, das darf nicht überraschen: Es ist historisch bezeugt, daß der Indus wiederholt zu einem riesigen See aufgestaut wurde; wenn der durch einen gewaltigen Bergrutsch entstandene Damm brach, verwüstete die Flutwelle den Talgrund. Thalpan selbst wurde 1841 zerstört, obwohl es höher lag als der Sakralbezirk.
Die Bedeutung dieser heiligen Stätte erklärt sich auch daraus, daß sie an einem von der Natur vorgezeichneten Verkehrsknotenpunkt lag. Entlang dem Kiner-Gah erreicht ein relativ bequemer Pfad aus dem Raum von Gilgit den Indus. Nach der Überfuhr stehen im Sommer mehrere Wege nach dem Süden (Taxila) und Kaschmir offen. Sie führen allerdings über Pässe, die im Gegensatz zu den Routen im Norden relativ frühzeitig, ab Ende September, durch intensiven Schneefall blockiert werden. Dazu kommt noch Lawinengefahr. Es bleibt dann nur ein Ausweg: jener Pfad, der hoch in den Felswänden der Indusschlucht verläuft. Nach Überwindung der schlimmsten Strecke konnte man den Indus queren und Swat erreichen, das Pilgerziel. Der Einstieg in diese Route begann bei Shatial, das aus anderen Gründen ebenfalls ein Knotenpunkt war, wie wir noch erfahren werden. Zwischen Shatial und Chilas verlief eine Art Querverbindung am Südufer des Indus. Streckenweise konnte man auf die andere Seite ausweichen.
Wo Täler abzweigen, lagen kleinere buddhistische, oft auch recht barbarisch anmutende Heiligtümer. Die zu ihnen gehörenden Siedlungen waren für die Verpflegung der Reisenden wichtig, denn das Industal selbst ist weithin eine Wüstenei, voller Sand und Felsen. Felder und Weiden liegen an den Seitenflüssen. In manchen Mündungsstationen werden bestimmte Tierzeichnungen bevorzugt, die Vermutung wurde erwähnt, das seien die ›Wappen‹ der zuständigen Grundherren.
Aus den Berichten chinesischer Pilger erfahren wir von einer riesigen Maitreya-Statue aus Holz in einem buddhistischen Heiligtum von überregionaler Bedeutung. Es lag in »Ta-li-lo«. Man hat angenommen, damit sei das Seitental Darel gemeint. Es ist aber sehr wohl möglich, daß der Name sich ursprünglich auf ein größeres Gebiet bezog mit Chilas als Mittelpunkt. Das würde erklären, warum die frommen Inschriften und Zeichnungen entlang den Pfaden am Indus dichter und sorgfältiger werden, sobald man sich dem Ort nähert.

Zu Photo 19: Hinter dem Buddha ist sein Begleiter Vajrapāni sichtbar; sein Donnerkeil deutlich erkennbar, leichte Gewandung für ihn typisch. Thalpan Bridge.

Zu Photo 20: Das Opfer des eigenen Körpers oder eines Gliedes war eine im Nordwesten des Subkontinents beliebte Legende. In Chilas I erlaubt der (später) Erleuchtete einer Tigerin, die keine Milch für ihre Jungen hat, seinen Arm zu fressen: eine Botschaft tiefsten Mitleids. Sogar eine Baumnymphe klagt mit den Angehörigen.

Zu Photo 21: Versuchung Buddhas durch die Töchter Māras. Thalpan Bridge.

Kaschmirbronze: der schulterdeckende Kragen findet sich auf zahlreichen Felsbildern wieder. (Hier nicht dargestellt.) Nach Pal.

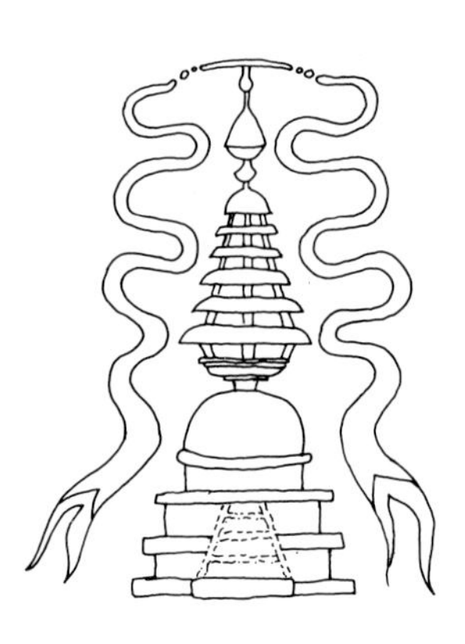

Stūpa-Abbildung in den Höhlen von Bamiyan. Manche Details sind auf Indus-Felszeichnungen noch variantenreicher. Nach Tarzi.

Photo 18
Tafel 13

Wer immer die Herrscher über dieses Gebiet waren, sie waren bemerkenswert weltoffen, von Würdenträgern verschiedenster Herkunft umgeben. Das schlägt sich in einem Nebeneinander künstlerischer Richtungen nieder. Meister aus allen Teilen der buddhistischen Ökumene waren hier am Werk, womöglich gleichzeitig. Ihnen gemeinsam war das Problem, vorgegebene künstlerische Schemata in das Felsbild zu übertragen. Kurios mutet die Beobachtung an, daß bestimmte Felsgruppen bei der Brücke von Thalpan ausschließlich für religiöse Darstellungen reserviert waren und keine privaten Inschriften aufweisen. Nicht so streng ist die Trennung innerhalb eines gewaltigen Felshangs am Nordrand der Station. Dort sind mit Bildern bedeckte Blöcke bei schweren Erdbeben weiter den Hang hinuntergerollt, so daß der Zusammenhang verloren gegangen ist.

Photo 19

Eine Schule, die sich scharfer Metallinstrumente bediente, knüpft an die edlen Formen der Gupta-Kunst an, eine andere versucht mit eher bescheidenen Mitteln und geringem Können komplizierte Inhalte, so z. B. Jātaka-Szenen, wiederzugeben. Man ist überrascht, die Versuchung Buddhas durch die Töchter des Māra als Felsbild vorzufinden. Mehr auf den Inhalt als auf die Form kam es jenem Meister an, der die erste Predigt Buddhas im Gazellenhain als Thema wählte.

Photo 20
Photo 21
Photo 22
Tafel 14

Wie erwähnt, muß man in der Station Chilas I mit Auftraggebern in offizieller Stellung rechnen. Dort sind Künstler tätig gewesen, deren Repertoire und Stil zum Vergleich mit den sog. Kaschmir-Bronzen herausfordern. Da die Datierung dieser Bronzen umstritten ist, ist es wichtig, daß auf dem Fels beigefügte Inschriften dem 6. oder frühen 7. Jh. angehören.

Photo 23
Tafel 15
Photo 24
Tafel 16

Zeichnungen von Stūpas geben Details wieder, die sich an deren Ruinen nirgends erhalten haben. Auch auf zeitgenössischen Wandmalereien lassen sie sich selten mit solcher Genauigkeit erkennen. Eine Konzentration derartiger Gemälde gibt es in den Höhlen von Bamiyan. Bamiyan war Zentrum eines buddhistischen Königreichs in Afghanistan, nördlich vom zentralen Hochland. Die Übereinstimmungen sind enger, als man auf Grund der geographischen Distanz eigentlich erwarten würde.

Photo 25

Grobe, man könnte sagen, plakativ eingehämmerte Stūpa-Bilder zeigen eine Verschmelzung der Schirme zu einer geschlossenen, in Kassetten gegliederten Fläche,

Photo 26
Tafel 17

außerdem Elemente, die aus dem Tarimbecken stammen könnten. Andere wiederum sind geradezu als Miniaturen mit einem sehr feinen Meißel hergestellt, ebenso zierlich, aber dennoch prägnant sind die zugehörigen Inschriften, die ungebräuchliche Buddha-Namen enthalten. Vertreter dieser Schule waren überall im Industal tätig, wo es reichlich Felsbilder gibt, d. h. auf einer Strecke von etwa 70 km.

Photo 27

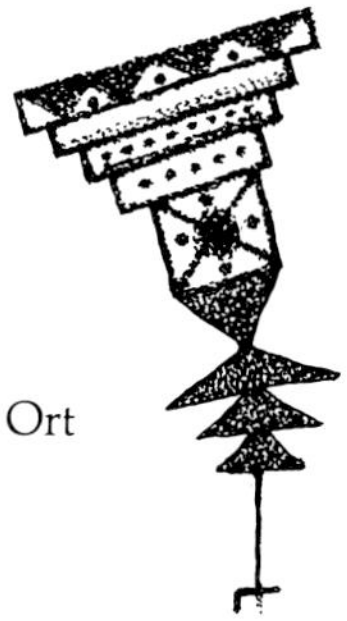

Hängender Stūpa, dargestellt auf gewachsenem Fels unterhalb vom Ort Chilas.

Wie schon gesagt, sind mit Zeichnungen bedeckte Felsbrocken durch Erdbeben losgerissen worden und in die Tiefe gestürzt. Vielleicht davon angeregt, gibt es Bilder auf dem gewachsenen Fels, die »hängende Stūpas« zeigen, kenntlich an den dachförmigen, d. h. in korrekter Position gezeichneten Schirmen. In anderen Fällen ist die Wölbung fast zum Kreis erweitert worden. Schließlich wurde sie durch ein dekoriertes Rad ersetzt, offenbar als Ausdruck einer Idee, die bereits in Chilas II erschließbar ist.

Photo 28

Photo 29

Im Rahmen der Station Chilas I sind mehrfach Namen und Titel hochgestellter Personen auf den Felsen verewigt worden. Unter einem Stūpa von besonders feiner Ausführung finden sich Namen eines Fürsten und seiner gesamten Suite: Es ist fraglich, ob man es mit dem Oberherrn über das Industal zu tun hat. Vielleicht handelt es sich einfach um fromme Besucher, möglicherweise kamen sie als Pilger oder in politischer Mission.

Photo 30

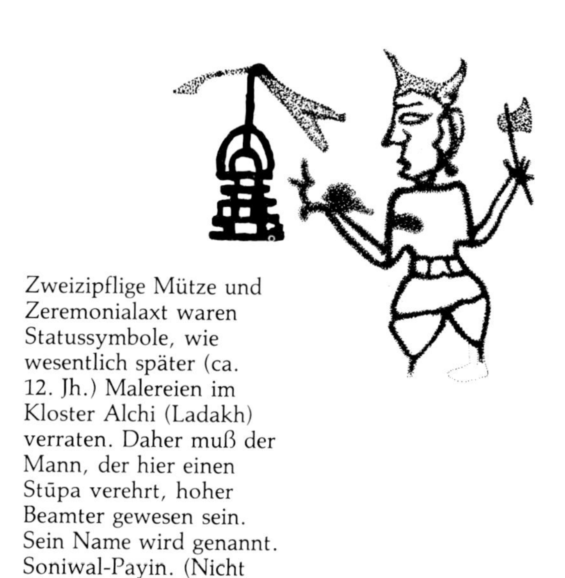

Zweizipflige Mütze und Zeremonialaxt waren Statussymbole, wie wesentlich später (ca. 12. Jh.) Malereien im Kloster Alchi (Ladakh) verraten. Daher muß der Mann, der hier einen Stūpa verehrt, hoher Beamter gewesen sein. Sein Name wird genannt. Soniwal-Payin. (Nicht abgebildet)

Im allgemeinen wird die runde Brāhmī-Schrift von der eckigen Proto-Śāradā abgelöst. Daneben werden spezifische Varianten beobachtet, deren Bearbeitung noch aussteht.

Sogdier und ihr Stützpunkt

Die Rolle der Sogdier im Handel auf den »Seidenstraßen« ist seit langem bekannt. Viele von ihnen schlossen sich den damals nach Osten vordringenden Weltreligionen an, sie wurden Buddhisten, Christen oder Manichäer. Da sie überdies im Dienst der damaligen Großmächte als Beamte und Diplomaten zu Macht und Würden gelangten, konnten sie ihre religiöse Überzeugung weiter verbreiten.

Für ihre Mittlertätigkeit mag es günstig gewesen sein, daß sich die Stadtstaaten ihrer Heimat nur zu einem lockeren Verband zusammengeschlossen hatten. Viele Familien des Adels waren hephthalitischer, d. h. hunni-

Symbol für die vielfältigen Verbindungen zwischen Sogdien und dem Industal ist diese Felszeichnung: Der beim Verehren eines Stūpas dargestellte Auftraggeber war Inder, aber der Künstler offenbar ein Sogdier. In seinem Musterbuch gab es Trinkszenen, die über den Schultern der Zechenden deren Schutzgeister zeigen. Dem Pokal entspricht hier ein Räuchergefäß(?), dem Schutzgeist eine Blume. Thalpan Ziyarat.

Hippokampen als Schutzgeister. Detail aus einem sogdischen Wandbild, das eine Versammlung Feiernder (mit Blütenzweigen) zeigt. Nach Staviskij.

Zu Photo 34: Eine andere Form des Körperopfers: Eine Taube wird dadurch gerettet, daß der Bodhisattva dem hungernden Falken eine entsprechende Menge eigenen Fleisches anbietet (daher die Waage). Shatial Bridge.

scher, oder auch türkischer Herkunft. Andererseits setzte sich aber die einheimische Form der iranischen Religion durch, auch gegenüber dem früher mächtigen Buddhismus und der sasanidischen Staatskirche. Knapp vor der islamischen Eroberung, d. h. zu Beginn des 8. Jahrhunderts, bediente man sich zur Wiedergabe einheimischer Glaubensinhalte eines aus Indien entlehnten Symbolguts.

Photo 31 Gegenüber von Chilas ist als Verehrer eines Stūpas ein Mann in der in Mittelasien üblichen Tracht abgebildet. In der Hand hält er eine Blume, sie ließe sich leicht als Umdeutung eines geflügelten Fabeltieres erklären, das auf den Wandbildern sogdischer Städte über den Schultern der Helden erscheint.

Vereinzelt sind sogdische Inschriften an mehreren Stellen im Industal beobachtet worden, eine auch in Hunza-Haldeikish. Gehäuft jedoch treten sie im Westteil der Station Shatial Bridge auf, etwa 250 (nur die Hälfte des tatsächlichen Bestandes) sind bisher gelesen worden: meist sind es einfach Namen und Vatersnamen der Reisenden. (Photo 32, Tafel 18) Es handelt sich hier um einen Stützpunkt des Fernverkehrs, wie baktrische, parthische, mittelpersische und chinesische Inschriften bezeugen, die allerdings zahlenmäßig nicht ins Gewicht fallen. Ob sich das recht deplaziert anmutende Auftreten von Kharoṣṭhī durch die Anwesenheit von Leuten aus dem Tarimbecken erklärt, wo die antiquierte Schrift noch eine Zeitlang überlebte, muß noch untersucht werden. Brāhmī herrscht seltsamerweise im Ostteil der Station vor, dort war vermutlich das Heiligtum der Einheimischen. Im Westteil, unter den Zugereisten, wurde sie für Mitteilungen verwendet, die uns besonders interessieren, so z. B. von einem Mann, der sich als ›Karawanenführer‹ bezeichnet. Es werden mehrere aus indischen Quellen bekannte Stämme genannt. (Photo 33) Jats (sie gehören zu den Vorfahren der Sikhs) erscheinen unter jener frühesten Form dieses Namens, die man bisher erschließen mußte. Das Ziel der Reise ist das Kashaland, das man schon immer in den Bergen suchte.

Shatial Bridge zeigt, daß es zwischen Sogdien und Südasien Verbindungswege gab, die von Vorstößen der Araber zunächst nicht gestört werden konnten. Andererseits finden wir Belege für jene Frühphase (4.-6. Jh. n. Chr.), die in den sogdischen Kerngebieten nur ungenügend belegt ist. Das Ethnikon ›Hunne‹ tritt mehrfach auf

— aber als Eigenname. Das beweist die ethnische Durchmischung. Andererseits beziehen sich sehr viele der erwähnten Eigennamen auf iranische Gottheiten, ihre Träger bezeichnen sich als deren Diener und Verehrer.

Eine grandiose Komposition auf einem riesigen Felsen inmitten der Station ist jedoch eindeutig buddhistisch. Wir sehen zwei »pagodenartige« Stūpas und eine Jātaka-Szene. Einflüsse aus der Kunst der nördlichen Wei-Dynastie sind spürbar — und plausibel. Nach dem Einhämmern der Bilder wurde der verbleibende Raum mit Kharoṣṭhī-, Brāhmī- und sogdischen Inschriften gefüllt.

Photo 34
Tafel 19

Auf einem anderen Felsen sind Tamgas eingemeißelt, d. h. Sippenzeichen der Reiternomaden. Sie wurden von den Sogdiern als Stadtwappen verwendet, auch auf Münzen. Eine Häufung sexueller Anspielungen, manchmal auch karikierenden Inhalts, fällt auf, ebenso relativ unmotivierte Tierdarstellungen und menschliche Köpfe.

Photo 35

Spiegelung ethnischer und kultureller Vielfalt

Es wurde bereits betont, daß sich nur ein Teil der fremd anmutenden Motive durch direkte Einflüsse aus Sogdien erklären läßt. Oberhalb von Shatial Bridge (früher eine Fährstelle) liegt eine Felskuppe, die sich für eine Feste geradezu anbietet. Hier wurde die eindrucksvolle Zeichnung eines Feueraltars entdeckt. Die gedrungene Form mit zwei Ansen läßt sich auf den Münzen von Herrschern der Kuṣān-Dynastie beobachten, aber die kurze Inschrift spricht für ein späteres Datum. Vielleicht hauste hier eine Wachmannschaft aus einem Gebiet, wo man an diesem altertümlichen Symbol festhielt.

Photo 36

Nahe bei Chilas gibt es die Zeichnung einer Ziege (?), die nachträglich mit einer Halsschleife geschmückt wurde. Das kennt man schon aus dem sasanidischen Iran, damit soll eine besondere Weihe des Tieres ausgedrückt werden. Sogdische Textilien zeigen das Fortdauern der Tradition, ebenso Silberarbeiten.

Photo 37

Ähnliche Ableitungen kann man für das Bild eines Löwen mit erhobener Pranke finden, dessen Schulter eine Blume schmückt. Es taucht aber am Indus in der Regel in Zusammenhang mit Inschriften von Personen auf, deren Namen das Element »siṁgha« (= Löwe) enthalten. Also ist hier das Wappentier einer mächtigen Sippe dargestellt

Photo 38

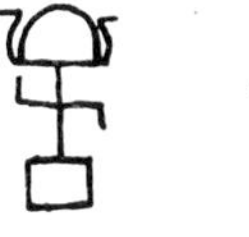

Tamgas.
Shatial Bridge.

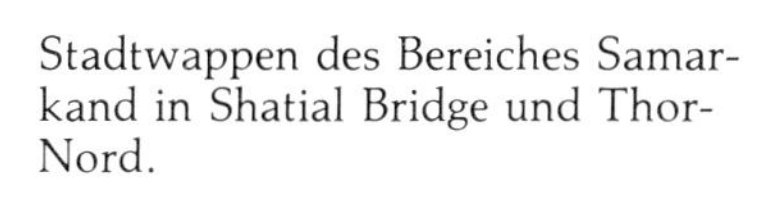

Stadtwappen des Bereiches Samarkand in Shatial Bridge und Thor-Nord.

Sogdische Münze chinesischer Form mit Symbolen, die auch am Indus auftreten; um 670 n. Chr. Nach Smirnova.

Affe, Oberkörper zu Phallus umgestaltet. Shatial Bridge.

Feueraltar.
Shatial Fort.

Nach Göbl kommt die archaische Form des Feueraltars noch im 6. Jh. auf Münzen vor.

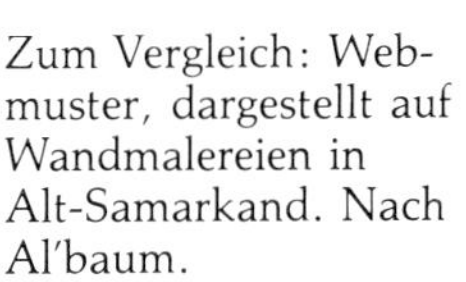

Zum Vergleich: Webmuster, dargestellt auf Wandmalereien in Alt-Samarkand. Nach Al'baum.

Löwendarstellung auf Metallgeschirr, mit Blume als Schulterschmuck. Nach Darkevič.

worden, die offenbar ein ganzes Seitental beherrscht hat. Ein solcher Löwen-Mann hat in Thalpan dicht beim buddhistischen Heiligtum ein Liṅgam einritzen lassen — ein fast gewagter Beweis für die Toleranz des örtlichen Buddhismus.

Photo 39

Zum Vergleich: Felsmalerei aus Zentralindien. Kämpfer mit länglichen, gekrümmten Schilden. Nach Wakankar-Brooks.

Inzwischen ist eine größere Zahl chinesischer Inschriften bekannt. Meist handelt es sich nur um Namen, aber eine markiert die Stelle, an der der gefährliche Winterweg durch die Indusschlucht begann, eine andere gehört zu einer Pagode, die sich mit einem T'ang-zeitlichen Modellpavillon vergleichen läßt, den man im Friedhof Astana gefunden hat.

Photo 40
Tafel 20

Nahe beim Heiligtum Thalpan zeigt ein Felsbild laufende Krieger mit Lendentuch, gewölbtem Schild und erhobenem Schwert: ein beliebtes Motiv in den Felsmalereien Zentralindiens.

Photo 41

Fürstliche und volkstümliche Traditionen

Der Buddhismus hatte nicht nur mit der Anwesenheit von Ausländern zu rechnen, die fremde Vorstellungen mitbrachten. Bestimmte Schichten der einheimischen Bevölkerung hielten an ihren Bräuchen fest oder entwickelten Vorstellungen und Rituale, die Bedürfnisse erfüllen sollten, die sich kaum im Rahmen des Buddhismus befriedigen ließen.

Meisterhafte Darstellung eines gesattelten Pferdes, Paßgänger, ohne Steigbügel. Kopfgeschirr wie in Sogdien (aber noch im 12. Jh. n. Chr. in Alchi abgebildet). Thalpan Bridge.

So wurden mit den verfeinerten Mitteln, die geschulte Künstler eingebracht hatten, bestimmte Wildtiere dargestellt, so groß und an so wichtigen Stellen innerhalb der Stationen, daß man sie wohl als Verkörperung schützender Mächte auffassen muß. Auch die Bilder gesattelter und nach sogdischer Manier gezäumter — aber reiterloser — Rosse gehören wohl in den gleichen Zusammenhang, obwohl sich auch eine Interpretation aus buddhistischem Glaubensgut anbietet. Man darf nicht vergessen, daß sakische Stämme das schnellste aller Tiere als sonnenhaft auffaßten. Ihre Nachkommen haben es auf Münzen abgebildet, hier mag es als Verkörperung einer einheimischen Gottheit auftreten.

Photo 42
Photo 43
Tafel 21

Vermutlich gehört eine überlebensgroße menschliche Figur, die auf der Schräge eines Felsblocks nahe bei Chilas zu sehen ist, in den gleichen Zusammenhang. Sie ist mit einem Metallgerät sehr sorgfältig ausgeführt, aber bewußt die Perspektive übertreibend verzerrt: Die Füße

Photo 44
Tafel 22

sind zu groß, die Beine leicht gespreizt, um die Hüften erkennt man einen breiten klaffenden Gürtel, die Arme sind ausgebreitet, der zu kleine Kopf, fast ohne Hals, ist von kurzen Strahlen umgeben. Ein aus Punkten bestehendes Muster ist auf den Beinen sichtbar. Sekundär ist die Figur an den Füßen gefesselt, mit weiblichen Brüsten und einem Phallus versehen worden. Man könnte mythische Gestalten der Bergvölker zur Deutung heranziehen. Jedenfalls gibt es ältere — und viele jüngere — Bilder dieses »Riesen«.

Noch lange werden dem modernen Forscher die Wandlungen des Stūpas ein reizvolles und verzwicktes Thema bleiben. Wenn wir den Abbildungen Glauben schenken, dann ersetzte man die regulären Kultmale des Buddhismus durch aus Bruchsteinen errichtete, mit Balkenlagen und Fachwerkkonstruktionen gegen Erdbeben gesicherte Turmbauten, meist mit spitzem Zeltdach. Eine solche Entwicklung kündigt sich schon in den Bildern am Felshang von Thalpan an. Monumente dieser Art wurden dann als Bergmodelle interpretiert.

Zunächst ist die Ableitung der »Monumente« vom Stūpa noch deutlich erkennbar. Soniwal-Payin.

In den Felsbildern ist die Umsetzung bis ins Irreale übertrieben. So erklärt sich z. B., warum meist nur einer der Wimpel dargestellt wird, die von der Spitze flattern: Er entspricht nämlich der Wolke stäubenden Schnees, die stets nur in einer Richtung ziehend, je nach Windrichtung, über den höchsten Gipfeln steht. Moderne Folklore erklärt sie als ›Rauch‹ der Feuer, die die Feen in ihren Bergpalästen entzünden. Solche Zeichnungen sind häufig. Ein Einzelfall ist die Ausgestaltung eines derartigen Gebildes als Yantra, als buddhistisches Heilszeichen mit eingefügten Akṣaras (Buchstaben). Hier setzt die Wolke tiefer an, auf der anderen Seite ist die Sonne angedeutet. In einer späteren Zeit hat man noch ein Gehörn angebracht, wie man es heute noch an islamischen Heiligtümern finden kann.

Photo 45

Photo 46

Weitere Veränderungen. Dazwischen eine Figur mit schmaler Basis und drei Spitzen: Vorstufe der auf Photo 47 auftretenden Dämonenbilder(?). Chilas IV.

Ein weiterer Schritt war die Interpretation solcher Bilder als Körper dämonischer Wesen. Arme und Beine werden angesetzt, die Bekrönung wird zum Kopf. Ein Zusammenhang ist sicher, weil manchmal solche Wesen zwischen die Bergmodelle eingeschoben sind. Wenn über der Bekrönung noch Linien erscheinen, die den Wimpeln entsprechen, dann sieht das Resultat einem Astronauten verdächtig ähnlich, dessen Helm mit Antennen ausgerüstet ist. Auch hier gibt es unverkennbare Vorstufen.

Photo 47
Tafel 23

Photo 48

Abweichende Ableitung, hier hat die bereits früher erfolgte Umgestaltung der Wölbung zum Kreis durchgeschlagen. Thalpan Bridge.

Antibuddhistische Strömungen? (9.-10. Jh. n. Chr.)

Verschiedene Typen von Streit- und Zeremonialäxten auf den Felsbildern bei Chilas.

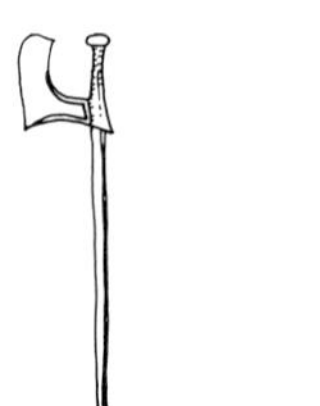

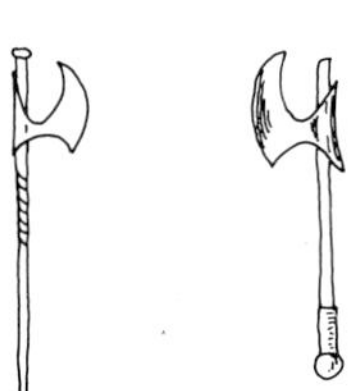

Zum Vergleich Axtformen, die noch im 19. Jh. beobachtet wurden: sehr ähnlich den Äxten der Kafiren im westlichen Hindukusch. Sicher auch zeremoniell gebraucht. Nach Biddulph.

Typisch die ausgebreiteten Arme und übergroßen Hände. Das Bild ist so häufig, daß eine Gottheit oder Mythengestalt gemeint sein muß. Chilas II.

An vielen Stellen werden Werke der buddhistischen Periode durch gröbere, schematische Felszeichnungen ergänzt oder auch gestört, die nur ein enges Spektrum von Themen behandeln. Die Hersteller konnten offensichtlich weder lesen noch schreiben, es gibt Pseudo-Inschriften, die den gleichen Kringel wiederholen. Vielleicht das auffälligste Symbol ist eine Streit- oder Zeremonialaxt ungewöhnlicher Form mit nach oben geschwungener, gezahnter Klinge. Zahlreicher noch sind vielfältig ausgeschmückte Rundscheiben. Sie kommen — außerhalb der Berge — auf Münzen vor, die man den aus Indien abziehenden Hunnen zugeschrieben hat. Eine Rad- oder Sonnensymbolik kam bereits in Stūpa-Darstellungen der buddhistischen Blütezeit zum Ausdruck. Unzweifelhaft ein Sonnensymbol ist fast als Relief über einer Nische herausgearbeitet worden, die am fließenden Wasser liegt, wie geschaffen für einen Opferplatz.

Photo 49

Photo 50
Tafel 24

Photo 51

Menschliche Figuren werden meist mit einfachen Strichen dargestellt. Auch dabei kann man Beziehungen zu älteren Petroglyphen beobachten. Manchmal gewinnt man den Eindruck, hier sei eine Tradition lebendig geblieben, die schon in der frühen Metallzeit unter dem Einfluß der Okunev-Kultur eingesetzt hat. Es ist aber möglich, daß man sich die allerorts sichtbaren Felsbilder zum Vorbild genommen hat. Strichmännlein mit gespreizten Beinen und ausgebreiteten Armen werden oft auf einen Pferderücken gestellt, d. h., sie sind im Gegensatz zum Tier frontal wiedergegeben. Dabei halten sie in einer Hand einen Zügel neben der Axt, in der anderen ein Gerät, das man als Bogen erklären könnte.

Photo 52
Rückseite
des Katalogs

Tiere werden ebenfalls schematisch mit einfachen Strichen festgehalten. Nur in Einzelfällen sind solche Bilder monumental ausgestaltet, so ein Ibex, dessen Hörner sich in zwei Bögen über den Körper spannen. Deren Riffelung entspricht formal der Zähnung der Axtklingen.

Photo 53
Vorderes
Umschlagbild

Noch immer werden Bergmodelle abgebildet, manchmal wird über ihnen die Axt aufgepflanzt, vereinzelt finden wir Gabeln (aus dem Dreizack Śivas entstanden) und Linien, die über einer plumpen Basis ausstrahlen — vielleicht sind die Flammen eines Feueraltars gemeint.

Es gibt Felsen, an denen dieser Bestand komplett vorgestellt wird, gewissermaßen als Gesamtschau des Pantheons, so z. B. über der Mündung des Thak-Gah. Man hat sie später lediglich mit primitiven Tierzeichnungen ergänzt. Die Inschrift — auf einem anderen Felsen — ist älter. In einem ähnlichen Panorama umgeben Bewaffnete, manche offenbar kämpfend, eine größere Gestalt, deren Kopf zur Scheibe geworden ist. Die Zeichnung zeigt auch einen Stūpa — aber ganz am Rand. Soll hier nicht der siegreiche Sonnengott gefeiert werden? Oft wird ein Rad durch Hinzufügen von Kopf und Gliedmaßen in ein menschliches Wesen verwandelt. Da in der gleichen Zeit, in der solche Bilder entstanden, der Sonnentempel von Multan das Hauptheiligtum der Ebenen bildete und auch in Kaschmir der Sonnenkult blühte, ist diese Deutung nicht von der Hand zu weisen. Man könnte auch an Einflüsse aus dem Norden denken, wo im Manichäertum der Uiguren der Herrscher mit der Sonne identifiziert wurde.

Photo 54

Photo 55

Rundscheiben mit variantenreichem Schmuck gibt es schon in Gilgit-Manuskripten. In Spätzeit (ab 8. Jh. n. Chr.) häufigstes Motiv, Sonnensymbol.
Chilas III.

Rundscheibe durch Hinzufügen von Vogelkopf und Extremitäten in Lebewesen verwandelt.
Chilas III.

Es muß aber einschränkend festgehalten werden, daß der gesamte Komplex nur in den östlichen Stationen des Industals vorkommt, im Umkreis von Chilas. Selbst hier gab es offenbar zusätzlich eine »höfische« Felsbildkunst, die Jäger zu Pferde und Kampfszenen bevorzugt. Einzelne Inschriften könnten hier eingeordnet werden.

Photo 56

Weiter stromabwärts, in Shatial Bridge, fehlen vergleichbare Beobachtungen. Außerdem hat sich selbst bei Chilas der Buddhismus wieder ›erholt‹. Es gibt Stūpazeichnungen mit begleitenden Inschriften, die stilistisch an die Gemälde von Alchi erinnern. Auch im Gilgittal muß es eine solche Renaissance gegeben haben. Buddhistische Reliefs wie der längst bekannte stehende Buddha bei Gilgit und der neu entdeckte, aber fast sofort zerstörte Monolith aus Bubur in Punyal gehören möglicherweise dem 10.-11. Jh. an. Tierzeichnungen sind offenbar auch noch nach der Islamisierung gemacht worden. Die bereits erwähnte Station Hunza-Haldeikish weist eine späte Schicht auf. Im Hunzaland ist die Erinnerung an Jagdmagie noch lebendig, für die solche Ibex-Bilder hergestellt wurden.

Photo 57

Photo 58

Photo 59

Photo 60

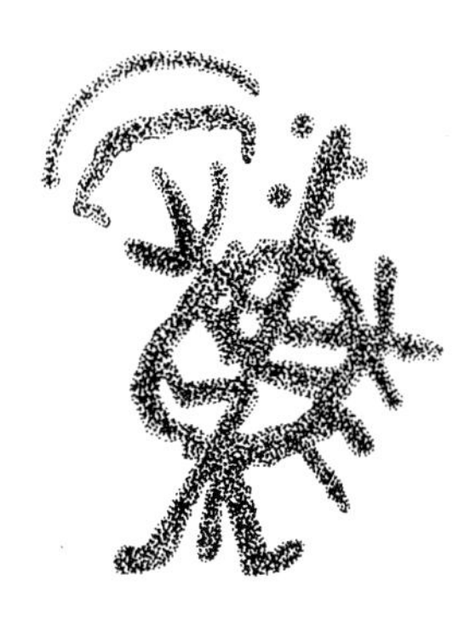

Rundscheibe, in die schematische menschliche Gestalt eingeschrieben ist, mit Bogensymbol(?).
Chilas III.

HISTORISCHE INTERPRETATION

Die Geschichte der älteren Han-Dynastie enthält Nachrichten über Gebiete im fernen Westen, mit denen China seit etwa 130 v. Chr. intensiv in Verbindung stand. Wir erfahren, daß es in den Gebirgen am Südwestrand des Tarimbeckens Kleinstaaten gab, die von Königen regiert wurden. Erstaunlich genau wird ein Weg durch die Berge beschrieben, der westlich von Khotan von der Seidenstraße abzweigte und im heutigen Nordpakistan die Ebene erreichte. Er galt als überaus mühsam und gefährlich. Unwahrscheinlich klingt nur, daß die schwierigste Stelle fast am Ende lag: die »Hängenden Übergänge«. Eine Reihe von Forschern hat diese abenteuerliche Strecke mit dem Weg am Rande der Indusschlucht identifiziert. Dabei berücksichtigte man auch spätere Itinerare, besonders den Bericht des berühmten Mönches Fa-hsien. Andere suchten dieses Hindernis weiter im Norden, etwa in Hunza. Tatsächlich ist schwer einzusehen, warum man sich keine andere Route gesucht hatte: Über die Ketten westlich vom Nanga Parbat führen mehrere bequeme Pässe.

Dieses Problem ist heute gelöst. Moderne Messungen zeigen, warum im Bereich der Hauptketten des Karakorum bis vor kurzem Spätherbst und Winter die günstigste Reisezeit war. Der Schneefall in den Tälern bleibt gering und die Flüsse führen so wenig Wasser, daß man sie auch ohne Brücken überqueren kann. Im Sommer hingegen, wenn die Gletscher abschmelzen, werden sie reißend und bedrohlich. Der Hunzafluß kann dann auf das Fünfzigfache anschwellen. Allerdings findet der Reisende, der im Herbst oder Winter von Norden her das Industal erreicht hat, alle weiter nach Süden führenden Pässe durch hohen Schnee versperrt. Wie das zustande kommt, wurde schon berichtet. Entweder muß man bis zum nächsten Sommer warten — und hat dann reichlich Zeit für das Einmeißeln von Felsbildern — oder man muß sich doch in die Indusschlucht hineinwagen.

Das erklärt die Bedeutung des Raumes zwischen Shatial und Chilas. Dort lag die Übergangszone zwischen Winter- und Sommerverkehr und, wie wir erfahren haben, auch die Anschlußstelle an das westlich angrenzende Verkehrssystem. Die Landschaft hieß, wie eine Notiz Birunis klarstellt, »Shamil«, was der Bezeichnung She-mi oder Shang-mi der chinesischen Quellen entsprechen dürfte.

Politisch bedeutender jedoch war »Bolor«, ein im Nordosten angrenzender Staat. Sein ursprüngliches Zentrum lag im heutigen Baltistan. Dort waren die Beziehungen zu Kaschmir intensiver. Im Sommer führten bequeme Pfade über das Deosai-Plateau, im Winter konnte man immer noch den Zoji-la, einen nicht allzu hohen Paß, benützen. Bolors Herrscher, die Paṭola-Shāhis, unterwarfen das Land »Bruzha«, das damals im unteren Gilgittal gelegen haben muß, und griffen weiter nach Westen aus, bis sie Kontakt mit einem Fürstentum auf dem Boden des heutigen Chitral bekamen, das seit dem 5. Jh. n. Chr. lose ins Hephthalitenreich eingegliedert war.

Von der Herrschaft der Paṭola-Shāhis über das Gilgittal erzählen zwei lange, offizielle Inschriften, von denen allerdings erst eine veröffentlicht wurde. Bemerkenswert ist die getreuliche Bewahrung von Ortsnamen bis zum heutigen Tag (Gilgit, Hatun, Hanesari — als Name eines Talabschnitts). Eine mit der des Industales vergleichbare Felsbildtradition gab es dort nicht, aber die Bevölkerung bestand ebenfalls aus eifrigen Buddhisten.

Das ganze System, ein buddhistisches Refugium in einer bereits von neuen Kräften bedrohten Welt, wurde im 8. Jh. n. Chr. massiv gestört, als Tibet zur zentralasiatischen Großmacht aufstieg. Baltistan wurde unterworfen, die Shāhis zogen sich in ihre westlichen Besitzungen zurück, also ins Gilgittal. Selbst dort mußten sie sich den Tibetern beugen. Die Hochzeit des Fürsten mit einer tibetischen Prinzessin (740 n. Chr.) besiegelte die Abhängigkeit.

Zwischen 631 und 755 n. Chr. kontrollierte China unter den mächtigen Herrschern der T'ang-Dynastie den Nordrand des Tarimbeckens. Es hatte die angrenzenden

Nomaden unterworfen, über den Pamir weit nach Westen ausgegriffen. China war daher nicht bereit, eine solche Expansion hinzunehmen. Zunächst im Bunde mit dem bedeutendsten Herrscher Kaschmirs, Lalitāditya Muktapīda, der selbst bei einer Expedition in den Norden den Tod finden sollte, unternahmen chinesische Armeen wiederholt Vorstöße in die Berggebiete. Die nachhaltigste Intervention erfolgte im Jahr 747 n. Chr. Der damals regierende Herrscher von Bolor wurde nach China verschleppt und dort als »General der Garde« kaltgestellt. Sein Land galt nunmehr als chinesischer Militärbezirk. Wir hören noch von einem König, ohne daß sein Name erwähnt wird. Er muß eine Puppe in der Hand der Chinesen gewesen sein. Die chinesischen Truppen drangen sogar noch weiter vor, vermutlich bis an den Indus. Der dort herrschende Fürst wurde durch seinen willfährigen Bruder ersetzt. So wollte man die Route sichern, auf der die chinesischen Garnisonen von Kaschmir aus versorgt wurden.

Innere Kämpfe in China, eine gefährliche Militärrevolte, setzten der Machtentfaltung ein Ende. Die Tibeter haben wohl wieder einen König ihrer Wahl in Bolor eingesetzt, vermutlich stammte er aus den südlich angrenzenden Tälern, deren beutehungrige Bevölkerung schon früher mit ihnen kollaboriert und die Lebensmitteltransporte von Kaschmir überfallen hatte. Die Einwohner der südlichen Täler kannte man unter dem traditionsreichen, sicher früher weiter verbreiteten Namen »Darada«, so daß jetzt der König von Bolor auch unter zwei weiteren Titeln erscheint: als Darada-Herrscher, aber auch als Tibeterkönig, d. h. als tibetischer Vasall. Dieses Bolorreich dardischer Nation von tibetischen Gnaden gewann kampflos seine Freiheit, da das tibetische Großreich nicht zuletzt infolge religiöser Gegensätze bald zerfiel.

Der Kampf zwischen Buddhisten und Antibuddhisten könnte auch auf die Darada übergegriffen haben und so den Hintergrund für die Zeugnisse jener vorläufig namenlosen Religion bilden, deren wichtigste Symbole, Äxte und Radscheiben, viele Felsen bei Chilas bedecken. Wie in Tibet ging es auch hier — trotz aller fremden Einflüsse — um eine Aufwertung des Volksglaubens.

Aber die Auseinandersetzungen wurden offenbar bald beigelegt, und so konnten sich die Darada-Shāhis fortab Raubzüge gegen Kaschmir leisten, die bis ins 12. Jh. n. Chr. andauerten. Die Residenz lag nunmehr in Gilgit. In Gurez, wo die Unternehmungen gegen Kaschmir vorbereitet wurden, gab es ein weiteres Hoflager. Bei vielen Orten bestanden buddhistische Klöster, aber das Einmauern einer vielleicht aus Skardu herübergeretteten Bibliothek in einem hohlen »Stūpa« bei Gilgit zeigt deutlich, daß die alte Gelehrsamkeit magischen Praktiken gewichen war. Auch die drei Reliefs, die man vor kurzem auf dem bei Bubur aufgefundenen Monolithen entdeckt hat, zeigen die Barbarisierung. Einflüsse aus den Steppen mögen dazu beigetragen haben. Die beiden stehenden Buddhafiguren auf dem Stein von Bubur haben stilistische Eigentümlichkeiten, die an türkische Statuen toter Herrscher und Helden erinnern. Der König von Bolor galt nunmehr als »Sohn der Sonne« — das könnte auch durch manichäische Einflüsse erklärt werden. Diese Religion war im Uigurenreich, das seit dem Ende des 8. Jahrhunderts vorübergehend das Tarimbecken beherrschte, von Dynastie und Volk übernommen worden.

Noch aus dem 10. Jahrhundert kennen wir ein säuberliches Itinerar für die Route von Khotan nach Kaschmir. Bezeichnenderweise erwähnt es für Chilas — wo damals Häretiker Äxte und Radscheiben einmeißelten — keine buddhistischen Klöster.

Bald danach überwiegt die Tendenz, sich abzukapseln und aus Weltverkehr und Weltpolitik herauszuhalten. Die Sogdier, seit der Mitte des 8. Jahrhunderts muslimisch, hatten keine Chance mehr. Christen (durch Kreuze an den Felsen bei Gilgit bezeugt) und Juden, deren Anwesenheit durch einen sensationellen Inschriftenfund bei Chilas bewiesen ist, übernahmen den Zwischenhandel. Schließlich ließ man auch sie aus Furcht vor Spionen nicht mehr nach Kaschmir einreisen, wie Biruni berichtet.

Daher wirkten sich jene grausamen Kämpfe, die schließlich im Mongolensturm gipfelten, nur minimal auf die Bergbewohner aus. Selbst das unaufhaltsame Vordringen des Islam wurde so um Jahrhunderte verzögert. Es gab Kompromisse, z. B. mit dem in Hunza noch vor wenigen Jahren lebendigen Königskult.

FORSCHUNGSGESCHICHTE

Das britische Empire hatte nur deshalb gegen Ende des 19. Jahrhunderts seine Grenzen auf die Pässe über die Hauptketten von Hindukusch und Karakorum vorgeschoben, weil sich daraus strategische Vorteile gegenüber dem ebenfalls vordringenden Zarenreich ergaben.
Diese rein defensive Einstellung erklärt, warum man ausgedehnte Stammesgebiete im Hinterland der besetzten Grenzregion nicht unterwarf: Man betrachtete deren Unwegsamkeit, das Fehlen aller Straßen, als zusätzliche Sperre gegen etwaige Eindringlinge. Freilich behinderte das generell jede wissenschaftliche Betätigung. Der Zugang wurde auf den engen Personenkreis beschränkt, der dienstlich in dieser entlegenen Ecke des Subkontinents zu tun hatte; andere Europäer, so auch die deutschen Nanga-Parbat-Expeditionen, bedurften einer Sondergenehmigung. Das ist eine Erklärung für die erstaunliche Tatsache, daß man die Felsbilder am Indus, von denen man spätestens seit 1906 wußte, nicht aufgenommen und studiert hat.
Auch der Handschriftenfund von Gilgit im Jahre 1931, der die Blüte des Buddhismus innerhalb der Gebirgszone augenfällig machte, vermochte die Situation nicht wirklich zu ändern.
Erst als Sir Aurel Stein während des zweiten Weltkrieges spannende Nachrichten (über ein hellenistisches Rhyton, eine lange Inschrift in Punyal) aus diesem Gebiet erhielt, entschloß er sich trotz hohem Alter zu eigenem Engagement. Während eines kurzen Besuchs im Industal zwischen Gor und Chilas (Ende August 1942) wurde er zum eigentlichen Entdecker der hier dargestellten Felsbildprovinz, d. h. der erste Gelehrte, der die Zeichnungen und Inschriften im vollen Bewußtsein ihrer Bedeutung zur Kenntnis nahm. Aber Sir Aurel Stein starb im Jahre 1943, sein Aufsatz erschien postum und wurde in den Wirren der folgenden Jahre kaum zur Kenntnis genommen. So blieben seine Forschungen eine Episode.
Auch die Deutsche Hindukusch-Expedition 1955/1956 wurde diesbezüglich nicht aktiv. Die Teilnehmer (zu denen ich gehörte) sahen zwar während eines aufregenden Ritts im Industal vereinzelte Felszeichnungen und Inschriften, aber vieles andere erschien dringender als die Aufnahme scheinbar unzerstörbarer Felsbilder in einem Gebiet, in dem man immer noch mit Überfällen rechnen mußte. Erst 1971, als ich nach jahrelanger Beschäftigung mit zentralasiatischer Archäologie die ethnologische Arbeit in Nordpakistan wieder aufnahm, weil ich einen Beitrag für ein religionsgeschichtliches Sammelwerk vorbereitete, wurde mir klar, daß es fahrlässig wäre, potentielle Quellen dieser Art nicht zur Kenntnis zu nehmen. Außerdem hatte ich inzwischen an verschiedenen Stellen Inschriften beobachtet, die sich nach Anfragen bei zuständigen Kollegen als unbearbeitet herausstellten. Als ich dann auch noch während der Fahrt auf der vorläufigen Straße durch das Industal im Jahre 1973 eine Tierstilzeichnung an einem Felsbrocken gleich neben der Straße sah, war mein Entschluß gefaßt: Der vorhandene Bestand sollte systematisch aufgenommen werden.
Ein erstes Ergebnis meiner Bemühungen war, daß Prof. Fussman von der Universität Straßburg rasch und effektiv die Inschriften von Alam Bridge bearbeitete. Ich selbst kam zunächst nicht weiter, weil ab 1974 wegen des Straßenbaus das Industal für Ausländer gesperrt wurde. Das kam aber systematischen Vorarbeiten zugute, in der Unternehmung von 1979 erfolgte der Durchbruch. In Prof. A. H. Dani (Universität Islamabad) hatte ich einen effektiven und interessierten Counterpart gefunden. Mr. Ismael Khan, ehemaliger Deputy Commissioner von Chilas, war für meine Arbeiten am Indus ein idealer Führer und Begleiter. Sein plötzlicher Tod nach der ersten Kampagne beendete eine auf lange Sicht geplante Zusammenarbeit.
Der 1979 errungene Erfolg ermöglichte die Gründung einer Pak-German Study Group for Anthropological Research in the Northern Areas. In deren Rahmen erfolgt nun mit aktiver Beteiligung pakistanischer Kollegen die systematische Aufnahme der Petroglyphen. Neben

Prof. Dani wurde das Department of Archaeology and Museums eingeschaltet, es stellte uns in der Person von Direktor M. S. Qamar einen Mitarbeiter zur Verfügung, dem wir viele Entdeckungen verdanken. Auch das National Institute of Folk Heritage half uns bei wichtigen Anliegen.
Die erste reguläre Expedition im Jahre 1980 wurde vom Deutschen Archäologischen Institut ausgeschickt, finanziert wurde sie jedoch ebenso wie die folgenden Unternehmungen in den Jahren 1981 bis 1983 von der Deutschen Forschungsgemeinschaft. Meine eigene Mitarbeit hat die Stiftung Volkswagenwerk ermöglicht. Sie hat mir später durch ein Akademie-Stipendium die Freistellung von meinen Vorlesungsverpflichtungen verschafft. Der Kunsthistoriker Dr. Volker Thewalt, im Rahmen der DFG-Projekte beschäftigt, übernahm die organisatorische Vorbereitung unserer Expeditionen, leitete die Dokumentationsarbeiten während der Kampagnen und verwendete sie zum Aufbau eines Archivs. Die verbleibende Zeit widmete er der kunsthistorischen Auswertung.

Inzwischen hat die DFG in einer großangelegten Aktion die Betreuung und Finanzierung zahlreicher Langzeitprojekte abgegeben. Es erwies sich daher als Glücksfall, daß die Heidelberger Akademie der Wissenschaften knapp zuvor, als man diese Entwicklung noch nicht absehen konnte, eine Kommission geschaffen hatte, die für die Erforschung der Inschriften und Felszeichnungen am Karakorum Highway zuständig war. Damit waren die Voraussetzungen zur Schaffung einer Forschungsstelle gegeben, eine Planung auf weite Sicht ermöglicht.

Daß es sich hier tatsächlich um ein Langzeitprojekt handelt, ist unbestreitbar. Während der Kampagnen wurde zunächst mehr neu entdeckt, als man jeweils aufarbeiten konnte. Erst jetzt ist das Anwachsen des »Auftragsbestandes« langsamer geworden. Als jedoch der Topograph Robert Kauper zwecks photogrammetrischer Aufnahmen bisher als unergiebig geltende Höhen erstieg, stieß er auch dort auf Felsbildstationen.
Das Material muß nicht nur vollständig und genau dokumentiert werden — wir geraten auch noch unter Zeitdruck: Bei Basha, ein Stück oberhalb der Indusschlucht, ist der Bau eines Dammes vorgesehen. Er soll Schlamm und Geschiebe aufhalten, die sonst das für die Wirtschaft Pakistans lebenswichtige Staubecken von Tarbela rasch anfüllen würde. Ist er einmal fertiggestellt, versinken viele der interessantesten Felsbilder und Inschriften in den Fluten eines 30 km langen Sees. Aber schon während des Baues ist mit Zerstörungen zu rechnen: Der eben erst fertig gewordene Karakorum Highway muß auf eine beträchtlich höhere Trasse verlegt werden.
Andererseits kann man die Ausarbeitung des Materials nicht zurückstellen. Wir sind gegenüber der pakistanischen Regierung, die unsere Arbeiten möglich macht, und den finanzierenden Stellen im Wort. Das Vorhaben wird sich jedenfalls verzögern, weil wir jeweils die besten Fachleute für die verschiedenen Sprachen und Schriften heranziehen wollen. Das bedeutet den Übergang zu internationaler Zusammenarbeit.
Unser pakistanischer Counterpart Prof. Dani, der ein Buch über die Altertümer im Umkreis von Chilas geschrieben hat, arbeitete praktisch im Alleingang — eine erstaunliche Leistung, die aber gleichzeitig die Grenzen eines solchen Versuchs deutlich machte. Daher haben wir Prof. von Hinüber (Universität Freiburg), der durch seine jahrelange Arbeit an den Gilgit-Manuskripten optimale Voraussetzungen mitbringt, um die Lesung der Brāhmī-Inschriften gebeten. Prof. Fussman (Collège de France) hat die gleiche Aufgabe für die Kharoṣṭhī-Inschriften übernommen. Beide Herren haben an Ort und Stelle in den Felsen gearbeitet. 1985 wird Dr. Sims-Williams (Universität London) mit uns nach Shatial Bridge kommen, um dort jene sogdischen Inschriften aufzunehmen, die noch nicht von Prof. Humbach (Universität Mainz) auf Grund von Photos bearbeitet worden sind. Dr. Livšic (Akademie der Wissenschaften, Leningrad) hat ebenfalls nach unseren Bildern wertvolle Beiträge geleistet. Um die Bearbeitung der chinesischen Inschriften wurde Prof. Franke (Bayerische Akademie der Wissenschaften, München) gebeten, aber auch Experten der Volksrepublik China wollen sich beteiligen.
So wird die Herausgabe der vielen Bände, die das enorme Material für die Interpretationen kommender Gelehrtengenerationen bereitstellen werden, Jahre erfordern. Um dennoch eine Vorstellung von Umfang und Bedeutung des bereits Geleisteten zu geben, wurden Ausstellung und Katalog in Angriff genommen.

Heidelberg, im März 1985 Karl Jettmar

DIE PHOTOS DER AUSSTELLUNG

Photo 1
Fels mit prähistorischen Zeichnungen. Blick über den Indus auf die kahle Hochfläche zwischen Thak-Gah und Buto-Gah. Zeichnungen stark patiniert: Jagdszene, Fußsohle, Hand-»Abdruck«. Thalpan-Ziyarat. (3.-2. Jahrtausend v. Chr., evtl. älter)

Photo 2
Jagdszene, Umrisse des Beutetiers »bitriangulär« umgeformt; Kultsäule, Hörneraltar(?), weitere Personendarstellungen. Thalpan-Ziyarat. (Spätestens Bronzezeit)

Photo 3
Links: Tänzer mit Tierschwänzen. Mitte: nicht deutbar (unfertig?). Rechts: Maskoid von Okunev-Typ. Thalpan-Ziyarat. (Frühe Metallzeit, Ende des 3. Jahrtausends v. Chr.)

Photo 4
Phantastische Darstellung: Dämon oder Gottheit. Deutlich erkennbare Arme, die Füße mondsichelartig. Gesichtsfläche durch Diagonalen geteilt (4 »Augenpunkte«?), Strahlenkrone. Rechts oben eine weitere altertümliche Menschenfigur. Thalpan-Ziyarat. (Frühe Metallzeit, Ende des 3. Jahrtausends v. Chr.?)

Photo 5
Fabeltier mit Horn und Mähnenkamm. Körperdekor durch ausgesparte Figuren. Flügelartige Zeichnung auf dem Rücken, Schwanz mit seitlicher Quaste, Knielauf. Höhe 0,3 m. Eingehämmertes Bild am Altarfelsen über Thalpan Bridge. (Mitte des 1. Jahrtausends v. Chr.?)

Photo 6
Westiranischer Krieger mit breitem Gürtel, Fransenrock und Gamaschen vor der Schlachtung einer Ziege. Höhe 0,65 m. Gehämmert. Altarfelsen bei Thalpan Bridge. (ca. Mitte des 1. Jahrtausends v. Chr.)

Photo 7
Hirsch, durch Gestaltung der Schnauzenpartie an Elch erinnernd, wird von Raubtier mit zwei Schwänzen verfolgt. Einfluß des Tierstils durch elegante Linienführung und Spiralhaken innerhalb der Körperfläche deutlich. Von Reiternomaden oder unter deren Einfluß hergestellt. Die Schlangen später ergänzt. Hirsch: Höhe 0,25 m. Altarfelsen bei Thalpan Bridge. (Etwa 4. Jh. v. Chr.)

Photo 8
Steinbock, dahinter ein Schneeleopard. Das hufeisenförmige Gebilde darunter könnte ein Rolltier sein. Da das Motiv noch einmal in anderer Ausführung auftaucht, muß ein fester Topos zugrunde liegen. Höhe 0,46 m. Chilas I. (Nach dem 5. Jh. v. Chr., evtl. auch sehr viel später)

Photo 9
Felsbild unter dem Einfluß des Tierstils. Mit Hirschgeweih (obgleich es keine Hirsche im Industal gibt). Körperfläche durch Spiralhaken gegliedert. Andere Formen untypisch. Thalpan Village. (Entstehungszeit unklar)

Photo 10
Während der Forschungsarbeiten wurde in Kandia eine durchbrochen gearbeitete Bronzeplakette (45 x 42 mm), mit einem kräftigen Knopf auf der Rückseite, erworben. Sie zeigt einen Steinbock, an dessen Hörner der Kopf eines Glanzfasans angesetzt ist. Mit Ausnahme dieses Details können alle konstituierenden Elemente im Pamir an Objekten sakischer Nomaden nachgewiesen werden. National Museum Karachi. (Nach dem 4. Jh. v. Chr.)

Photo 11
Schildförmiger Felsen, durch natürliche Risse in Friese geteilt. Zuoberst: 1 Person, 3 Tiere, 2 davon mit achämenidischen Stilelementen. Mitte: Gestalt auf Stuhl sitzend

(Gottheit oder Herrscher?), davor Tanzende. Rest undeutbar. Kharoṣṭhī-Inschriften. Unten: Stūpa, von Reitern umgeben, männliche Figuren, weitere Inschriften. Chilas II. (ca. 1. Jh. n. Chr.)

Photo 12
Zeichnung auf dem Feldschirm. Stūpa mit 2 Kultsäulen, verschiedene Tiere, darunter Elefant und Ziege (achämenidischer Einfluß). Unten stūpaartiges Bauwerk, von Mondsichel bekrönt, daneben Sonnenscheibe, eine Büste eingezeichnet. Oberer Stūpa: Höhe 0,5 m. Chilas II. (1.-3. Jh. n. Chr.)

Photo 13
Bilder von Gestalten in der Manteltracht der Kuṣān-Zeit mit Keulen, Pflug und gezackter Scheibe. Durch Kharoṣṭhī-Beischrift als Balarāma und Kṛṣṇa identifizierbar. Linke Figur: Höhe 0,63 m. Chilas II. (1.-3. Jh. n. Chr.)

Photo 14
Zeichnungen auf den Felsrippen hinter der Plattform: 2 Stūpas altertümlicher Form, Kultsäule, Kharoṣṭhī-Inschriften, eine (spätere) in Brāhmī. Links: Reiter, abgesessen vor dem Besuch des Heiligtums. Säule: Höhe 0,64 m. Chilas II. (ca. 1. Jh. n. Chr.)

Photo 15
Bewaffnete Reiter, abgesessen, nähern sich einem Stūpa. Rest der Zeichnungen unklar. Ein Mann trägt einen Pflug(?). Eingehämmertes Bild in einer Höhlung der Felswände. Stūpa: Höhe 0,41 m. Chilas II. (1. Jh. n. Chr.)

Photo 16
Verehrung eines Stūpa durch Mönch mit erhobener Räucherschale. Dahinter weitere Person mit gegürtetem Gewand, Krug und Fähnchen. Kharoṣṭhī-Inschrift. Zusätzliche Zeichnungen unterschiedlichen Datums. Stūpa: Höhe 0,92 m. Chilas II, Blick von der Plattform über dem linken Indusufer. (1. Jh. n. Chr.)

Photo 17
Anthropomorph umgestalteter Stūpa. Links: Kultsäule, ebenfalls menschlicher Figur angeglichen. Rechts: Kreis, durch Basis einem Stūpa ähnlich. Von der Inschrift ist »Hāritī« deutlich lesbar. Säule: Höhe 0,41 m. Höhlung in den Felswänden von Chilas II. (1. Jh. n. Chr.?)

Photo 18
Buddha unter dem Baum der Erleuchtung, auf der Lotosblüte. Brāhmī-Inschrift des Herstellers. Darüber ein Stūpa, rechts ein Kinnara. Höhe 0,91 m. Am Fuße der Felswand, Rand der Sandfläche. Thalpan Bridge. (6.-7. Jh. n. Chr.)

Photo 19
Buddha in Meditationshaltung, sorgfältig mit Metallmeißel hergestellt, Einfluß der klassischen Gupta-Kunst. Der Felsblock, der diese Darstellung trägt, ist bei einem Erdbeben den Hang hinuntergestürzt. Höhe 0,57 m. Thalpan Bridge. (Etwa 6. Jh. n. Chr.)

Photo 20
Buddha, von Vajrapāni in typischer Kleidung begleitet. Sehr sorgfältige Arbeit eines bedeutenden Meisters. Höhe 0,82 m. Thalpan Bridge. (Etwa 6.-7. Jh. n. Chr.)

Photo 21
Buddha, daneben eine Tochter Māras in der Versuchungsszene; ähnliche Figur auf rechter Seite, hier nur teilweise sichtbar. Höhe 0,34 m. Thalpan Bridge. (Etwa 6.-7. Jh. n. Chr.)

Photo 22
Buddhas erste Predigt im Gazellenhain von Benares mit den ersten Schülern. Darunter das Rad der Lehre. Höhe 0,71 m. Thalpan Bridge. (6. Jh. n. Chr.)

Photo 23
Gekrönter und geschmückter Buddha in einer mit Spirallocken geschmückten Aureole auf einem Lotosthron. Höhe 0,61 m. Chilas I. (6. Jh. n. Chr.)

Photo 24
Bodhisattvas (Avalokiteśvara und Maitreya) mit Stūpa und Vase des Überflusses. Inschriften der Stifter. Linke Figur: Höhe 1,10 m. Chilas I. (6. Jh. n. Chr.)

Photo 25
Stūpa und mehrere Buddhafiguren; eine daneben sitzend, eine weitere unter Blendgiebel. Drei Figuren vor Harmikā sichtbar. Darunter Brāhmī-Inschrift. Zusammenhänge mit Darstellungen in Bamiyan (?). Stūpa: Höhe 1,45 m. Thalpan Bridge. (6.-7. Jh. n. Chr.)

Photo 26
Schematische Wiedergabe eines Heiligtums. Ein zentraler Stūpa ist von 4 weiteren Kultbauten (nur 2 davon im Bild) umgeben. Rechts davon Brāhmī-Inschrift (nennt Buddha der östlichen Himmelsrichtung). Links: Proto-Śāradā-Inschrift. Höhe 1,37 m. Felsbastion oberhalb von Shatial Bridge. (ca. 7. Jh. n. Chr.)

Photo 27
Unter der Stūpazeichnung in feinster Schrift eine Folge ungewöhnlicher Buddha-Namen erkennbar. Vertreter dieser Tradition haben an mehreren Stellen im Industal gearbeitet, vielleicht kamen sie aus Ostturkestan (?). Stūpa: Höhe 0,66 m. Chilas I. (Etwa 7. Jh. n. Chr.?)

Photo 28
Felsbilder »hängender« Stūpas. Solche Bilder entstehen häufig durch den Absturz der bildtragenden Felsen. Hier läßt aber die Anordnung der Schirme erkennen, daß die Darstellung von Anfang an so angelegt war. Höhe ca. 0,8 m. Chilas - New Colony. (7.-8. Jh. n. Chr.?)

Photo 29
Felszeichnungen von Stūpas, bei denen die Wölbung betont und schließlich zu einer dekorierten Scheibe wird. Auftreten einer Sonnensymbolik (?). Linker Stūpa: Höhe 1,43 m. Chilas I. (Etwa 8. Jh. n. Chr.)

Photo 30
Sehr fein ausgeführter Stūpa, darunter Inschriften, in denen sich ein Fürst und wichtige Personen seines Hofstaates verewigt haben, möglicherweise Besucher des nahen Heiligtums. Stūpa: Höhe 0,69 m. Chilas I. (8. Jh. n. Chr.)

Photo 31
Stūpa, von Mann in mittelasiatischer Tracht mit entsprechender Bewaffnung verehrt. Er hält eine Räucherschale am langen Griff. Die Blume möglicherweise als Umdeutung eines sogdischen Motivs erklärbar. Der in der Brāhmī-Inschrift genannte Name ist »ortsüblich«, daher wohl nur der Ausführende fremder Herkunft. Dicht daneben primitive Nachbildungen. Stūpa: Höhe 0,8 m. Thalpan-Ziyarat. (7. Jh. n. Chr.)

Photo 32
Stark patinierter Felsblock mit dicht gedrängten sogdischen Inschriften (meistens Namen und Vatersnamen von Durchreisenden). Rechts oben in Brāhmī Namen des Karawanenführers (unvollständig). Shatial Bridge. (3.-7. Jh. n. Chr.)

Photo 33
Stein mit vielen Inschriften, meist Brāhmī, eine sogdisch. Genannt wird ein Angehöriger der Jat-Stämme in der ältesten, bisher nur erschlossenen Form. Auch das politisch wichtige Kasha-Land wird erwähnt. Shatial Bridge. (6.-7. Jh. n. Chr.)

Photo 34
Links: Szene aus dem Śibi-Jātaka (»Körperopfer«). Zentral: 2 pagodenartige Stūpas und Adoranten. Im Zwischenraum und rechts: Inschriften in Kharoṣṭhī, Brāhmī, Sogdisch. Shatial Bridge. (Ab 4. Jh. n. Chr.)

Photo 35
Neben Inschriften und buddhistischen Kultzeichnungen mehrere Tamgas. Manche davon treten auf den Münzen sogdischer Städte als Lokalmarken auf. Shatial Bridge. (5.-8. Jh. n. Chr.)

Photo 36
Feueraltar altertümlicher Form mit »Ansen«, daneben buddhistische Inschrift. Vielleicht Symbol der Truppe, die hier oberhalb des Übergangs über den Indus bei Shatial Bridge ihren Stützpunkt hatte. Höhe ca. 0,7 m. Shatial Fort. (6. Jh. n. Chr.)

Photo 37
Tier (Ziege oder Schaf?) mit Brāhmī-Inschrift. Die Schleife am Hals von Metallarbeiten und aus Abbildungen auf Textilien bekannt. Höhe 0,27 m. Chilas V. (6. Jh. n. Chr.)

Photo 38
Löwe mit erhobener Pranke und Blume auf der Schulter. Die vornehmen Personen, die dieses Symbol anbringen ließen, tragen Namen, die das Element »Löwe« enthalten. Das Motiv ist von iranischen Metallarbeiten, aber auch von Münzen der Turk-Shāhis bekannt. Hodar. (6.-7. Jh. n. Chr.)

Photo 39
Diese Liṅgam-Zeichnung ist im Auftrag eines Mannes hergestellt worden, der in die vornehme Sippe gehört, die sich des Löwen-Symbols bedient. Liṅgam: Höhe 0,78 m. Am Übergang nach Thalpan Village. (6.-7. Jh. n. Chr.)

Photo 40
Pagode und chinesische Zeichen. Linke Seite bisher nicht gedeutet. Rechts: Bezeichnung der Reisenden. Pagode: Höhe 0,69 m. Station am Talausgang des Thak-Gah. (T'ang-Zeit)

Photo 41
Springende Krieger, mit erhobenem Schwert und in Lendentücher gekleidet, erinnern stark an Felsmalereien in Zentralindien; vermutlich von einem Reisenden aus diesem Raum angefertigt. Höhe 0,58 m. Am Weg nach Thalpan Village. (Datierung unsicher)

Photo 42
Große, sehr sorgfältige Darstellung eines Steinbocks. Höhe 0,31 m. Gichi-Gah. (ca. 6./7. Jh. n. Chr.)

Photo 43
Edles Pferd mit Kopfgeschirr sasanidisch-sogdischer Form. Umrisse mit scharfem Meißel hergestellt. Paßgang (?). Plastischer Eindruck durch zusätzliches Hämmern gesteigert. Höhe 0,21 m. Thalpan Bridge. (ca. 6. Jh. n. Chr.)

Photo 44
Riesenhafte Menschengestalt mit leicht gespreizten Beinen, sehr großen Füßen, ausgebreiteten Armen. Kleiner, von Strahlen umgebener Kopf, halboffener Gürtel. Spätere Hinzufügungen (weibl. Brüste) deutlich erkennbar. Höhe 2,05 m. Chilas VI. (Buddhistische Periode?)

Photo 45
Zeichnungen von Bergmodellen; durch Anregungen entstanden, die von Bildern der Stūpas ausgingen. Allmählich treten weitere Elemente hinzu. Höhe ca. 0,5 m. Soniwal Payin. (8. Jh. n. Chr.)

Photo 46
Umsetzung eines solchen Symbols in ein Yantra, ein buddhistisches Heilszeichen. Akṣaras wurden eingefügt, Wolke, Sonnensymbol und ein Gehörn (wie bei islamischen Heiligengräbern) hinzugesetzt. Hodar. (7.-8. Jh. n. Chr.)

Photo 47
Phantastische Wesen, von Bergsymbolen abgeleitet, die ihrerseits mit Stūpazeichnungen zusammenhängen. Von Tierzeichnungen umgeben. Ältere Zeichnungen menschlicher Figuren durch stärkere Patinierung unterscheidbar. Hodar. (Ende der buddhistischen Periode)

Photo 48
Ursprünglich von Stūpadarstellung abgeleitet, durch Hinzufügen von Beinen und Armen anthropomorph umgestaltet. Aus den Schirmen sind »Antennen« geworden, so daß die Gestalt an einen »Astronauten« erinnert. Höhe ca. 0,25 m. Thalpan Bridge, Altarfelsen. (Nachbuddhistische Periode?)

Photo 49
Axt mit nach oben geschwungener Klinge und verlängerter Schäftungshülse, das Blatt mit Reiterfigur verziert. Zeremonialäxte ähnlicher Form wurden noch vor wenigen Jahrzehnten von den einheimischen Darden verwendet, außerdem gab es sie in Afghanistan, bei den Kafiren des Hindukush. Sicher schon damals symbolträchtige Waffe. Höhe 1,16 m. Chilas III. (8.-10. Jh. n. Chr.?)

Photo 50
Felsen mit (älteren) Stūpazeichnungen, vielen dekorierten Scheiben, zahlreichen Tierbildern und zwei Äxten (Mitte oben). Thalpan Bridge. (Meist nachbuddhistische Zeit)

Photo 51
Radförmige Scheibe mit gezahntem Rand, tief in den Felsen gemeißelt, Sonnensymbol an Opferstelle (?). Thalpan Village. (8.-10. Jh. n. Chr.)

Photo 52
Stark patinierte Zeichnungen des 1. Jh. n. Chr.: Elefant, Stūpa, Wildziegen; Kharoṣṭhī-Inschriften, teilweise überdeckt von meist helleren Zeichnungen der nachbuddhistischen Periode. In der linken oberen Ecke »Gottheit mit ausgebreiteten Armen« — hier mit Pferd, übergroßer Streitaxt und Bogen. Unten plumpere Wiederholungen des Themas. Menschenfiguren unbestimmter Zeitstellung. Gottheit: Höhe 0,52 m. Felsschirm der Station Chilas II.

Photo 53
Steinbock mit übertrieben großen Hörnern. Möglicherweise keine Darstellung eines realen Tieres, sondern eines Kultsymbols. Höhe 0,73 m. Chilas IV. (Nachbuddhistische Periode)

Photo 54
Stein, der die systematisch zusammengestellten Kultbilder der antibuddhistischen Periode zeigt; von links nach rechts: Sonnensymbol, Bergsymbol, darunter Kämpfende. Anschließend möglicherweise Opferaltar, darunter Mann auf einem Pferd. Darüber weitere Menschenbilder, Axt. Noch spätere, schematische Tierzeichnungen stören den Eindruck. Mündung des Thak-Gah. (8.-10. Jh. n. Chr.)

Photo 55
Darstellung religiöser Ideen der Spätzeit (ähnlich wie bei Photo 54). Links Stūpa, rechts größere Gestalt mit Scheibe (Sonnensymbol) als Kopf, dazwischen Kämpfende. Hodar-West. (ca. 8.-10. Jh. n. Chr.)

Photo 56
Jagd unter Einsatz von Berittenen. Höfische Kunst der Spätzeit. Oberhalb von Chilas I. (Ende des 1. Jahrtausends n. Chr.)

Photo 57
Zeichnung eines Stūpas, bei dem die Schirme wie in einer Aureole zusammengefaßt sind. Erinnert an Gemälde im Kloster Alchi, Ladakh. Die Schrift paßt zu späterer Zeitstellung. Stūpa: Höhe 0,62 m. Chilas - New Colony. (Anfang des 2. Jahrtausends n. Chr.)

Photo 58
Buddha-Relief auf Felsen über Mündung des Kar-Gah bei Gilgit. Werk aus der Zeit der buddhistischen Renaissance. (Ende des 1. Jahrtausends n. Chr.)

Photo 59
Monolith, an 3 Seiten mit buddhistischen Reliefs geschmückt. Möglicherweise unter Einfluß der Monumente türkischer Nomaden entstanden. Sicher aus der Spätzeit, heute verschleppt und stark beschädigt. Aus Bubur, Punyal.

Photo 60
Einfache Strichzeichnungen von Steinböcken wurden auch noch nach dem Sieg des Islams angefertigt. Partie aus dem Felsen von Hunza-Haldeikish. Im Hintergrund der Felssturz zum Hunzafluß, auf dem die Burg von Altit liegt.

Photo 1 - Tafel 1
Fels mit prähistorischen Zeichnungen. Blick über den Indus auf die kahle Hochfläche zwischen Tak-Gah und Buto-Gah. Zeichnungen stark patiniert: Jagdszene, Fußsohle, Hand-»Abdruck«. Thalpan-Ziyarat. (3.-2. Jahrtausend v. Chr., evtl. älter)

Photo 1 - Plate 1
Boulder bearing "prehistoric" carvings. In the background the barren plateau between Thak-Gah and Buto-Gah. The Indus below is not visible. Heavily patinated petroglyphs: hunting scene, footprint, palmprint. Thalpan Ziyarat. (3rd-2nd millennium B.C. or earlier)

Photo 3 - Tafel 2
Links: Tänzer mit Tierschwänzen. Mitte: nicht deutbar (unfertig?). Rechts: Maskoid von Okunev-Typ. Thalpan-Ziyarat. (Frühe Metallzeit, Ende des 3. Jahrtausends v. Chr.?)

Photo 3 - Plate 2
Left: dancers with tailed dresses. Right: a mascoid, Okunev type. No explanation for the (unfinished?) carvings in the centre. Thalpan Ziyarat. (Early Metal Age, end of the 3rd millennium B.C.?)

Photo 4 - Tafel 3
Phantastische Darstellung: Dämon oder Gottheit. Deutlich erkennbare Arme, die Füße mondsichelartig. Gesichtsfläche durch Diagonalen geteilt (4 »Augenpunkte«?), Strahlenkrone. Rechts oben eine weitere altertümliche Menschenfigur. Thalpan-Ziyarat. (Frühe Metallzeit, Ende des 3. Jahrtausends v. Chr.?)

Photo 4 - Plate 3
"Surrealistic" rendering of demon or deity. Arms are clearly discerned, feet transformed into a moonsickle(?). The quadrangular face is split by diagonals with four points near the centre (eyes?). Crown of radiating lines on top. Another archaic figure on the differently slanting plane of the rock. Thalpan Ziyarat. (Early Metal Age, end of the 3rd millennium B.C.?)

Photo 5 - Tafel 4
Fabeltier mit Horn und Mähnenkamm. Körperdekor durch ausgesparte Figuren. Flügelartige Zeichnung auf dem Rücken, Schwanz mit seitlicher Quaste, Knielauf. Eingehämmertes Bild am Altarfelsen über Thalpan Bridge. (Mitte des 1. Jahrtausends v. Chr.?)

Photo 5 - Plate 4
Phantastic animal, horned, with tasselled comb, decoration of the body by blanks, apparent wing (?) on the back and a tail with a tuft at the upper bend. Kneeling on one leg. Made by pecking. Altar-rock, near Thalpan Bridge. (Middle of the 1st millennium B.C.?)

Photo 6 - Tafel 5
Westiranischer Krieger mit breitem Gürtel, Fransenrock und Gamaschen vor der Schlachtung einer Ziege. Gehämmert. Altarfelsen bei Thalpan Bridge. (ca. Mitte des 1. Jahrtausends v. Chr.)

Photo 6 - Plate 5
West-Iranian warrior with broad belt, fringed gown and puttees, ready to slaughter a goat. Altar-rock, near Thalpan Bridge. (ca. middle of the 1st millennium B.C.)

Photo 8 - Tafel 6
Steinbock, dahinter ein Schneeleopard. Das hufeisenförmige Gebilde darunter könnte ein Rolltier sein. Da das Motiv noch einmal in anderer Ausführung auftaucht, muß ein fester Topos zugrunde liegen. Chilas I. (Nach dem 5. Jh. v. Chr., evtl. auch sehr viel später)

Photo 8 - Plate 6
Ibex and snow-leopard. Different species indicated by changing a few typical attributes. (The horseshoe-shaped object may be an "enrolled animal"). Since the same constellation is depicted in strongly different stylistic ways, there may be a special meaning behind. Chilas I. (After the 5th century B.C., but perhaps considerably later)

Photo 10 - Tafel 7
Während der Forschungsarbeiten wurde in Kandia eine durchbrochen gearbeitete Bronzeplakette (45 x 42 mm), mit einem kräftigen Knopf auf der Rückseite, erworben. Sie zeigt einen Steinbock, an dessen Hörner der Kopf eines Glanzfasans angesetzt ist. Mit Ausnahme dieses Details können alle konstituierenden Elemente im Pamir an Objekten sakischer Nomaden nachgewiesen werden. National Museum Karachi. (Nach dem 4. Jh. v. Chr.)

Photo 10 - Plate 7
In the Kandia valley (Indus Kohistan), a bronze-plaque (45 x 42 mm), certainly a stray-find, was bought from a local farmer. On the reverse there is a massive button for fixing it. An ibex whose horns are added by the head of a monal pheasant. Besides this detail all essential elements were observed in the Pamirs in graves of the Saka nomads. Now: National Museum Karachi. (4th century B.C. or later)

Photo 11 - Tafel 8
Schildförmiger Felsen, durch natürliche Risse in Friese geteilt. Zuoberst: 1 Person, 3 Tiere, 2 davon mit achämenidischen Stilelementen. Mitte: Gestalt auf Stuhl sitzend (Gottheit oder Herrscher?), davor Tanzende. Rest undeutbar. Kharoṣṭhī-Inschriften. Unten: Stūpa, von Reitern umgeben, männliche Figuren, weitere Inschriften. Chilas II. (ca. 1. Jh. n. Chr.)

Photo 11 - Plate 8
Slightly convex face of a cliff, structured by natural cracks. Upper row: 3 animals plus a warden (2 animals influenced by Achaemenid art). Middle: Deity or ruler sitting on a chair, before him dancing persons. Kharoṣṭhī-inscription, other figures uncertain. Lower row: Stūpa surrounded by riders, several male figures. Inscriptions. Chilas II. (ca. 1st century A.D.)

Photo 12 - Tafel 9
Zeichnungen auf den Felsrippen hinter der Plattform: 2 Stūpas altertümlicher Form, Kultsäule, Kharoṣṭhī-Inschriften, eine (spätere) in Brāhmī. Links: Reiter, abgesessen vor dem Besuch des Heiligtums. Chilas II. (ca. 1. Jh. n. Chr.)

Photo 12 - Plate 9
Carvings on the cliffs west of the platform: 2 stūpas of early types, Kharoṣṭhī-inscriptions. Left side: animals and riders, some of them dismounted in face of the sanctuary. Chilas II. (ca. 1st century A.D.)

Photo 15 - Tafel 10
Bewaffnete Reiter, abgesessen, nähern sich einem Stūpa. Rest der Zeichnungen unklar. Ein Mann trägt einen Pflug(?). Eingehämmertes Bild in einer Höhlung der Felswände. Chilas II. (1. Jh. n. Chr.)

Photo 15 - Plate 10
Armed horsemen, dismounted before a stūpa. The meaning of other carvings not clear, maybe one man is carrying a plough. Produced by pecking in a recess of the cliffs. Chilas II. (1st century A.D.)

Photo 16 - Tafel 11
Verehrung eines Stūpa durch Mönch mit erhobener Räucherschale. Kharoṣṭhī-Inschrift. Dahinter weitere Person mit gegürtetem Gewand, Krug und Fähnchen. Zusätzliche Zeichnungen unterschiedlichen Datums. Chilas II. Blick von der Plattform über dem linken Indusufer. (1. Jh. n. Chr.)

Photo 16 - Plate 11
A monk with raised incense-burner venerating a stūpa. In the background a person with a belted dress, with a jug and a small flag. Kharoṣṭhī-inscription. Additional carvings from different periods. View from the platform over the left bank of the Indus. Chilas II. (1st century A.D.)

Photo 17 - Tafel 12
Anthropomorph umgestalteter Stūpa. Links: Kultsäule, ebenfalls menschlicher Figur angeglichen. Rechts: Kreis, durch Basis einem Stūpa ähnlich. Von der Inschrift ist »Hāritī« deutlich lesbar. Höhlung in den Felswänden von Chilas II. (1. Jh. n. Chr.?)

Photo 17 - Plate 12
Anthropomorphically transformed stūpa. To the left: cult-pillar also endowed with human traits. To the right: a disk formed into a stūpa by adding a base. The name "Hāritī" is clearly readable. Recess in the cliffs of Chilas II. (1st century A.D.?)

Photo 18 - Tafel 13
Buddha unter dem Baum der Erleuchtung, auf der Lotosblüte. Brāhmī-Inschrift des Herstellers. Darüber ein Stūpa, rechts ein Kinnara. Am Fuße der Felswand, Rand der Sandfläche. Thalpan Bridge. (6.-7. Jh. n. Chr.)

Photo 18 - Plate 13
Buddha under the Tree of Enlightenment on a lotus flower. Inscription of the artist in Brāhmī. To the right a Kinnara. On top a carefully made stūpa. Periphery of the sandy plain at the foot of the rocky slopes at Thalpan Bridge. (6th-7th centuries A.D.)

Photo 22 - Tafel 14
Buddhas erste Predigt im Gazellenhain von Benares mit den ersten Schülern. Darunter das Rad der Lehre. Thalpan Bridge. (6. Jh. n. Chr.)

Photo 22 - Plate 14
Buddha's first sermon in the deerpark at Benares, with the main disciples. The wheel of doctrine is seen below. Thalpan Bridge. (6th century A.D.)

Photo 23 - Tafel 15
Gekrönter und geschmückter Buddha in einer mit Spirallocken geschmückten Aureole auf einem Lotosthron. Chilas I. (6. Jh. n. Chr.)

Photo 23 - Plate 15
Crowned and bejewelled Buddha on lotus-seat and surrounded by an aureole decorated with spiral hooks. Chilas I. (6th century A.D.)

Photo 24 - Tafel 16
Bodhisattvas (Avalokiteśvara und Maitreya) mit Stūpa und Vase des Überflusses. Brāmī-Inschriften der Stifter. Chilas I. (6. Jh. n. Chr.)

Photo 24 - Plate 16
Bodhisattvas (Avalokiteśvara and Maitreya) with stūpa and vase of plenty. Inscriptions in Brāhmī indicate the pious intentions of the persons who have ordered the pictures to be made. Chilas I. (6th century A.D.)

Photo 26 - Tafel 17
Schematische Wiedergabe eines Heiligtums. Ein zentraler Stūpa ist von vier weiteren Kultbauten (nur zwei davon im Bild) umgeben. Rechts davon Brāhmī-Inschrift (nennt Buddha der östlichen Himmelsrichtung). Links: Proto-Śāradā-Inschrift. Felsbastion oberhalb von Shatial Bridge. (ca. 7. Jh. n. Chr.)

Photo 26 - Plate 17
Schematic rendering of a Buddhist sanctuary. A central stūpa surrounded by some other ones (only two visible). Right: Brāhmī. Left: proto-Śāradā inscription. Towering cliff near Shatial Bridge. (ca. 7th century A.D.)

Photo 31 - Tafel 18
Stark patinierter Felsblock mit dicht gedrängten sogdischen Inschriften (meistens Namen und Vatersnamen von Durchreisenden). Rechts oben in Brāhmī Namen des Karawanenführers (unvollständig). Shatial Bridge. (3.-7. Jh. n. Chr.)

Photo 31 - Plate 18
Heavily patinated rock with a large number of Sogdian inscriptions (names and patronyms). Right corner: name of the caravan-leader (not entirely visible here). Shatial Bridge. (3rd-7th centuries A.D.)

Photo 33 - Tafel 19
Links: Szene aus dem Śibi-Jātaka (»Körperopfer«). Zentral: 2 pagodenartige Stūpas. Darunter Adoranten. Im Zwischenraum und rechts: Inschriften in Kharoṣṭhī, Brāhmī, Sogdisch. Shatial Bridge. (Ab 4. Jh. n. Chr.)

Photo 33 - Plate 19
Left: Scene from the Śibi-Jātaka. Centre: 2 pagoda-shaped stūpas. Below: adorants, in between and to the right side: inscriptions in Kharoṣṭhī, Brāhmī, Sogdian. Shatial Bridge. (Starting in the 4th century A.D.)

Photo 40 - Tafel 20
Pagode und chinesische Zeichen. Linke Seite bisher nicht gedeutet. Rechts: Bezeichnung der Reisenden. Station am Talausgang des Thak-Gah. (T'ang-Zeit)

Photo 40 - Plate 20
Pagoda, Chinese characters. Left side: still unexplained. Right side: designation of the travellers. Site on the mouth of the valley of the Thak-Gah. (T'ang period)

Photo 43 - Tafel 21
Edles Pferd mit Kopfgeschirr sasanidisch-sogdischer Form. Umrisse mit scharfem Meißel hergestellt. Paßgang(?). Plastischer Eindruck durch zusätzliches Hämmern gesteigert. Thalpan Bridge. (ca. 6. Jh. n. Chr.)

Photo 43 - Plate 21
Magnificent horse with headgear of Sasanian-Sogdian type, apparently ambling. Outlines executed with a sharp chisel, plastic quality of the picture increased by additional pecking. Thalpan Bridge. (ca. 6th century A.D.)

Photo 44 - Tafel 22
Riesenhafte Menschengestalt mit leicht gespreizten Beinen, sehr großen Füßen, ausgebreiteten Armen. Kleiner, von Strahlen umgebener Kopf, halboffener Gürtel. Spätere Hinzufügungen (weibl. Brüste) deutlich erkennbar. Chilas VI. (Buddhistische Periode?)

Photo 44 - Plate 22
Giant human figure with splayed legs, large feet, extended arms, small head with radiating lines. Semi-opened belt. Later additions (including female attributes) clear to discern. Chilas VI. (Buddhist period?)

Photo 47 - Tafel 23
Phantastische Wesen, von Bergsymbolen abgeleitet, die ihrerseits mit Stūpazeichnungen zusammenhängen. Von Tierzeichnungen umgeben. Ältere Zeichnungen menschlicher Figuren durch stärkere Patinierung unterscheidbar. Hodar. (Ende der buddhistischen Periode)

Photo 47 - Plate 23
Fantastic beings derived from mountain symbols (and finally from stūpa-drawings), surrounded by animal drawings. Earlier carvings of humans may be discerned by the different degree of patination. Hodar. (End of the Buddhist period)

Photo 50 - Tafel 24
Felsen mit (älteren) Stūpazeichnungen, vielen dekorierten Scheiben, zahlreichen Tierbildern und zwei Äxten (Mitte oben). Thalpan Bridge. (Meist nachbuddhistische Zeit)

Photo 50 - Plate 24
Rock with (earlier) stūpa-carvings. Later covered by decorated wheel-shaped motifs, many animal carvings and two axes. Thalpan Bridge. (Post-Buddhist period)